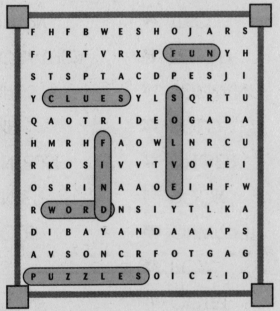

KAPPA Books

Visit us at www.kappapuzzles.com

1. BARD
2. BARITONE
3. BLUES
4. CAROLER
5. CHANTER
6. CHANTEUSE
7. CHOIR
8. CHORUS
9. COLORATURA
10. COUNTRY
11. CROONER
12. DIVA
13. DUET
14. ENSEMBLE
15. FOLK
16. GLEE CLUB

17. MINSTREL
18. OCTET
19. POP
20. QUARTET
21. ROCK
22. SINGER
23. SOLO
24. SOPRANO
25. TENOR
26. TRIO
27. TROUBADOUR
28. VOCALIST
29. YODELER

```
K N H X G C H A N T E U S E
C C S H T P C C A R O L E R
O W H E V O L S Q C G P E U
R C N O U P F U W A G N R O
Y O T N I L A V V L S E N D
R O T E K R B I E E T A D A
V R D B T F D E M N R V B B
Y C A E T J C B A P T O A U
N R T K L L L H O S U C R O
D O L Y U E C S O O O A I R
O O P B S H R T I R J L T T
F N M I N S T R E L U I O E
R E G N I S T R H U V S N T
A R U T A R O L O C D T E N
```

PUZZLE 2   A LOT OF CHARACTER

1. ASTUTE
2. BOLD
3. BRAVE
4. CALM
5. CAPABLE
6. CLEVER
7. FAIR
8. FIRM
9. GALLANT
10. GENIAL
11. HONEST
12. HUMANE
13. JUST
14. KEEN
15. LOVING
16. LOYAL
17. MODEST
18. NOBLE
19. OPEN
20. PATIENT
21. POLITE
22. PRUDENT
23. RESOLUTE
24. SAGE
25. SERENE
26. SERIOUS
27. SHREWD
28. SINCERE
29. STRONG
30. TENDER
31. TRUE
32. WISE

```
G G R S B J E T U L O S E R
N M A J H N R S R M B E Q G
O E U S A R E T N E I T A P
R S E M T R E M H D E L P F
T S U K I U R W L N L R R C
S H A O Q E T A D A U O A X
E D U G V S I E N D C P B B
R S Q E E N R T E L A Y O L
E X L D E T E N S B Y U L W
C C O G S R T V L E F H O C
N M E E W U I E A U R A V F
I E N S C E L Q P R T E I F
S O P C I N O B L E B R N R
H F X O V W P Q I H M P G E
```

3 ✕ CARNIVAL ATTRACTIONS

1. BALLOONS
2. BAND
3. BINGO TENT
4. BOOTHS
5. CALLIOPE
6. CARS
7. CONCERT
8. FUNNEL CAKE
9. GAMES
10. HOT DOGS
11. KIDS
12. LIGHTS
13. MONEY
14. PARK
15. PEANUTS
16. PLAY

17. PONY RIDE
18. POPCORN
19. PRIZES
20. PROPS
21. RIDES
22. SIDESHOW
23. SPEND
24. SPIEL
25. STANDS
26. THRONGS
27. TICKETS
28. TIPS
29. TREATS
30. TRICKS

```
S Y N P V Y S P S Y E N O M
K S D N A T S G R P T K A B
C J N L H R N B O O T H S A
I K P G A O K I T R P J S L
R G I C R Q L I E K Z S I L
T L A H S L C C T K I S D O
N P T M A K N I D T T D E O
E R Z C E O P P R U P S S N
T I D T C S O F N I P H H S
O Z S U O P A A L E D O O P
G E K A C L E N N U F E W I
N S A O F P D D N A B R S E
I T R E A T S G O D T O H L
B N X N I V E D I R Y N O P
```

PUZZLE 4 ✕ MGM STARS

1. ALLYSON
2. ASTOR
3. BARRYMORE
4. BYINGTON
5. CALHERN
6. CHARISSE
7. CRAIG
8. DAHL
9. DAVIS
10. GARDNER
11. GARLAND
12. GARSON
13. HAGEN
14. HORNE
15. ITURBI
16. JOURDAN
17. KEEL
18. KERR
19. LANSBURY
20. MAIN
21. MURPHY
22. O'BRIEN
23. OWEN
24. POWELL
25. SINATRA
26. SULLIVAN
27. TAYLOR
28. VERA-ELLEN
29. WILLIAMS
30. WYNN

```
J O U R D A N O T G N I Y B
E Q K Z Q E L M U R P H Y X
T S O G G D N L E H O S K A
A L S A N O N H E V P B S H
Y G H I S A L A E W A T O L
L D A R R A V R L R O R F C
O M A R C A A I R R N P S W
R G D H D E H Y L E A I C I
E R K A L N M C I L N G B L
O K E L V O E R G A U R L L
W B E K R I B R T I U S W I
E N R E R O S R I T A Y F A
N O S Y L L A K I X N R O M
F C F J Y R U B S N A L C S
```

PUZZLE 5 — MACRAMÉ CRAFTS

1. ANGLE
2. BELT
3. BRAID
4. CERAMIC
5. COILS
6. COIR
7. CRAFT
8. FIBER
9. FINISH
10. FRAME
11. GLUE
12. HANDBAG
13. HEMP
14. HITCH
15. HOBBY
16. IVORY
17. LINEN
18. LOOP
19. MASON LINE
20. OUTSIDE
21. PEARL
22. PILE
23. PUNCH
24. PURSE
25. RAYON
26. ROPE
27. SERIES
28. SHOW
29. SISAL
30. SPACES
31. START
32. STRAND
33. TACK
34. TOTE
35. TWIRL

```
Q U G U H E N I L N O S A M
F P X I E S G A B D N A H O
H D T N P P L A S I S T S U
I C L A O H O Q S T L T R T
H V C I C Y U R P E A R L S
L E O D N K A M B R R X L I
S P U R S E E R T H G I E D
R C F E Y H N L D O O L E E
E E Q M L U R N E C G B U S
B R A I D I A C M N A P B E
I A F I W R P R A E R L S Y
F M B T T S R A R T O I H Q
H I H S I N I F F O J C O W
H C N U P S E T P T U Y W C
```

BEING A WRITER

1. AWARD
2. BOOK
3. BRIEF
4. CARE
5. CHECKING
6. COMPILER
7. CONFLICT
8. COPY
9. DELETE
10. EDIT
11. EPISODE
12. FLOW
13. FORMAT
14. HERO
15. HUMOR
16. ISSUE
17. LAYOUT
18. LETTERS
19. LINE
20. LITERARY
21. LONG
22. NOTE
23. ORDER
24. PAGE
25. PAPER
26. PLOT
27. PRESS
28. QUERY
29. SHORT
30. STUFF
31. STYLE
32. TELL
33. THEME
34. TRUTH
35. TYPING

```
C O R C A R E S B K O O B L
C L E M E H T T T R E C T E
O I L G H U C A O L I H A T
N T I E F U M L Y N R E T T
F E P F U R M T I K R C F E
L R M S O S S O D N D K S R
I A O F H R S C R B E I S S
C R C E T O E I A D L N T O
T Y E C P Y R H W H E G R E
U M R P F I P T A Y T D C D
O T P T A L S I P Q E U K I
Y L E A O P O O N R F Z R T
A L L N G T C W D G P L O T
L O G Y R E U Q U E G I L N
```

1. BEAVER
2. CANVAS
3. CASHMERE
4. CRASH
5. CREPE
6. CRETONNE
7. DACRON
8. DENIM
9. DIMITY
10. DRILL
11. DYNEL
12. FELT
13. GINGHAM
14. HOMESPUN
15. KODEL
16. LACE
17. LAME
18. LAWN

19. LINEN
20. MANTA
21. MINK
22. MOHAIR
23. NAINSOOK
24. NYLON
25. ORLON
26. RAYON
27. SATIN
28. SCHAPPE
29. SCRIM
30. SEERSUCKER
31. SHARKSKIN
32. TAPA
33. TICK
34. TOILE

```
C N R E K C U S R E E S P K
R L I C P I K K J M E H S N
E B I T L M O H A I R C U I
T T E I A O D H D D R P A M
O D N A S S G Y A I S A E L
N E R N V N N C M E T T P E
N V I I I E R C M N L N E D
E A N G L O R O A E W M R O
N O R U N L H M F N A A C K
T X R Y T I M I D L V J L M
N A L L Q E R E M H S A C I
X O P T O I L E B S F C S N
N O Y A R N R S C H A P P E
C R A S H A R K S K I N D D
```

ARM WRESTLING

1. BETS
2. DRAW
3. DROP
4. ELBOW
5. ENERGY
6. FAIR
7. FIST
8. FLAT SURFACE
9. FORCE
10. FRIENDS
11. GRIMACE
12. GRIP
13. GRUNT
14. HANDS
15. LIFT
16. LOSE
17. MATCH
18. MUSCLE
19. PAIN
20. PALM
21. PRESS
22. PRIDE
23. PUSH
24. QUICKNESS
25. REFEREE
26. RULE
27. SLIP
28. STRAIN
29. TABLE
30. TEAM
31. TIRED
32. TOURNAMENT
33. TWIST
34. WAGER
35. WINNER
36. WRIST

```
H W I N N E R E C A M I R G
C E Q M W M U S C L E T G T
T D F P F R T E A M L R E N
A I O O P I I P I I U P C E
M R Q U R R S F N T Q A M
D P S S E C E T T Y I U F A
B H L T T L E F O T R I R N
E I Y S E L B L E S E C U R
P Q I G U B N O B R D K S U
P W P R R P R I W A E N T O
T A A R I E F O A L T E A T
F A I R E N N E G R O S L H
P W G N D S U E E W T S F P
F R I E N D S C R Y S S E P
```

PUZZLE 6 — TABLE TENNIS

1. ATTACK
2. BACKHAND
3. BALL
4. BOUNCE
5. CHOP
6. DEFENSE
7. DOUBLES
8. FOREHAND
9. GAME
10. GRIP
11. MATCH
12. OPPONENT
13. PADDLE
14. PARTNER
15. PLAYERS
16. POINTS
17. RALLY
18. RETURN
19. SCORE
20. SERVER
21. SERVICE
22. SHOT
23. SIDESPIN
24. SKILL
25. SLAM
26. SMASH
27. SPEED
28. TABLE
29. TACTICS
30. TECHNIQUE
31. TOURNAMENT
32. VOLLEY

```
S R E Y A L P S E R V E R R
S C I T C A T S L U S K E F
P Y O B F A P W B L C N G T
S E A R C E B W A A T R N S
E L E Y E H A M T R I E T O
L L U D L I O T A P M N P D
B O Q N E L A P L A I P N S
U V I A B C A L N O O A S I
O P N H A O I R P N H M M D
D A H K Y K U V E E A J A E
T D C C S O S N R T M S S S
N D E A T S T O C E I A H P
E L T B H R F H H E S O G I
D E F E N S E N R U T E R N
```

PUZZLE
10   CLEANING

1. AIRING	20. REST
2. CEILING	21. RUGS
3. CLEAN	22. SCRUB
4. CLOSET	23. SHEETS
5. CRATE	24. SILVERWARE
6. CUPBOARDS	25. SINK
7. CURTAINS	26. SPILLS
8. DEBRIS	27. SPONGE
9. DRAPES	28. SPOTLESS
10. DUST	29. STOVE
11. GARAGE	30. SUDS
12. LINOLEUM	31. SWEEP
13. LITTER	32. TIDY
14. MESS	33. TILE
15. MOPS	34. WASH
16. NEAT	35. WATER
17. PAILS	
18. PAINT	
19. RAGS	

```
S S C H R L X M K Z T W S M
R I U E E T I N O S B I E D
P L P R T S I N L P R S R Y
A V B E T S T L O B S A S J
I E O S I S I O E L P H C S
L R A T L P U D V E E E D G
S W R E S G T D S E I U N S
N A D S P A I N T L S I M P
I R S O S R D S I W R Z E O
A E G L P A Y N R I Q E T T
T T U C O G G A A E W H I L
R A R P N E G E W S S G U E
U R S N G S Y L W A T E R S
C C X N E A T C W B U R C S
```

1. CANNON

2. CAPTAIN

3. COMMITTEE

4. COURSE

5. CREW

6. DECK

7. FINISH LINE

8. FLAGS

9. GOOD WEATHER

10. JIB

11. KNOT

12. LEEWARD

13. LEG OF RACE

14. LINES

15. MAINSAIL

16. MAST

17. MATE

18. NAVIGATE

19. OVERTAKE

20. POLE

21. REEF

22. RIG

23. SKIPPER

24. SPEED

25. SPORT

26. STARTING LINE

27. TACK

28. TIDE

29. WHITECAPS

30. YACHT

```
E E N I L G N I T R A T S E
E C L G O O D W E A T H E R
T A E K A T R E V O K F M T
T R E L C P B S E N I L A P
I F W N O E A V O P F I I O
M O A S I P D T W S S S N P
M G R H T L I U P E K G S N
O E D R C C H A G I R G A A
C L O T A O C S P Y A C I V
T P S N P E U P I L A E L I
S A N H T C E R F N T C J G
M O C I A R H E S A I I H A
N R H K I A E L M E B F D T
J W D E N R X R V W M U B E
```

PUZZLE 12 AUTUMN SCENE

1. ACORNS
2. APPLES
3. AROMA
4. ASTERS
5. CIDER
6. COLLEGE
7. COLOR
8. COOL
9. CRISP
10. ELECTIONS
11. FALL
12. FOLIAGE
13. FROST
14. GRAIN
15. HAYRIDES
16. LABOR DAY
17. LAWN
18. LEAVES
19. NIPPY
20. OAK
21. PAINT HOUSE
22. RAKING UP
23. REAP
24. SCHOOL STARTS
25. SHORT DAYS
26. SQUIRRELS
27. STROLL
28. TRACK MEET

```
I Z S T R A T S L O O H C S
A A L F C S S E D I R Y A H
R S T O O O E N L W Z C F P
E S T R O L L A R O M A J A
A E F S P C B O S O A S U I
P Y L S Y O R L R T C Y O N
G U I E R T E E M K C A R T
C R G D C R N K D R K D E H
C O A N R T S I S I F T G O
I Y L I I I I E P A C R A U
F B U L N K V O L P S O I S
N Q A W E A A L N P Y H L E
S J A E E G Z R F S P S O K
Y L K L S R E T S A K A F U
```

BUILDER'S SUPPLIES

1. BRAD
2. BRICKS
3. CEMENT
4. DOOR
5. DRAIN
6. DRY WALL
7. FIREPLACE
8. FLOORING
9. GATE
10. GLASS
11. HARDWARE
12. HINGE
13. JOIST
14. KNOB
15. LADDER
16. LATHE
17. LOCK
18. NAILS

19. PAINT
20. PANEL
21. PANES
22. PIPES
23. PLASTER
24. PUTTY
25. RAILING
26. ROOFING
27. SAW
28. SHINGLE
29. SHUTTER
30. SIDING
31. SPACKLE
32. TILE
33. VISE
34. WINDOW

```
E M L P A N E S H U T T E R
S L R A I L I N G E O Y F A
I R K F D B S S A L G T D U
V P E C L D H I N G E T R C
D L P B A O E W U N T U Y E
H A V I N P O R E I X P W M
C S R H P D S R L H T L A E
R T X B N E A E I S E X L N
O E P I D W S B I N L R L T
O R W R D K O O A R G I N L
F T A R C N J P O W E I A S
I I A I K K C O L R A T V N
N H R G N I D I S P H S A Y
G B O J E C A L P E R I F G
```

PUZZLE 14 ✕ ONCE UPON A TIME

1. ALICE
2. BALL
3. BEAUTY
4. BREW
5. CHASE
6. CINDERELLA
7. DUNGEON
8. DWARF
9. FRIGHT
10. GHOST
11. GOLD
12. HIDE
13. HUNT
14. ISLAND
15. KING
16. MAGIC
17. MIRROR
18. MOAT
19. NIGHT
20. OGRE
21. PATH
22. PIRATE
23. POTION
24. PRINCE
25. QUEEN
26. RED RIDING HOOD
27. SHIP
28. SLIPPER
29. SNOW WHITE
30. STORY
31. TINKERBELL
32. TOWER
33. WOLF

```
A D O O H G N I D I R D E R
L I Y H K O P B X E F Q R V
I G I E I I S R R R U Q R
C D L T T L N D I E Q E Z H
E I O P I I U G W N W E U W
M P N P A N H O N W C N A T
A A P D G T T W O K T E A K
Y E G E E E H L W G H O S T
R P O I T R F R E O M U P I
O N I A C H E R O W N U V S
T M R H Q T G L A R G S T L
S I A Q S O L I L W R O E A
P S Y T U A E B N A D I L N
E L L E B R E K N I T H M D
```

PUZZLE 15 — LEND A HAND!

1. ABET
2. ASSIST
3. BOLSTER
4. CARE
5. CHEER
6. COMFORT
7. DEFEND
8. ENDOW
9. HARBOR
10. HEARTEN
11. HELP
12. HOST
13. NOURISH
14. NURTURE
15. OFFER
16. PROMOTE
17. PROTEST
18. REINFORCE
19. RESCUE
20. SAVE
21. SECOND
22. SHARE
23. SHELTER
24. SHIELD
25. SPARE
26. STAY
27. SUCCOR
28. SUSTAIN
29. TEAM
30. TEND
31. TREAT
32. UPHOLD

```
H Z Z P M W C O F F E R D D
B O L S T E R O R V O Q L U
D E S G T S R O M B R E P M
H E M T S E C A R F I H A I
R I F B N C N A C H O E U E
S E G E U O H D S L T R V C
K P T S N N U S D S S A T R
H R A L Q D T R T R S H N O
E O C R E R E S I A Y S U F
A T N H E H I N X S Y W R N
R E E A E S S Y D I H R T I
T S T B S E T O M O R P U E
E T C A A Y R G S P W Z R R
N I A T S U S U E U C S E R
```

PUZZLE 16   SUBSCRIPTIONS

1. ADDRESS
2. BILL
3. CANCELLATION
4. CHANGE
5. CHECK
6. COST
7. DATE
8. DELIVERY
9. GIFT
10. INSERTS
11. ISSUES
12. LABEL
13. MAGAZINE
14. MAIL
15. MONTHLY
16. NAME
17. NEWSSTAND
18. OFFER
19. ORDER
20. PAYMENT
21. READER
22. RECIPIENT
23. REFUND
24. RENEWAL
25. SAVINGS
26. STATUS
27. SUBSCRIBE
28. TERMS
29. WEEKLY
30. YEARLY

```
O Y L K E E W S G N I V A S
K T A S Q E M I M X D O G I
C N S Y T R P A N D A R U S
A E O A E A G A N S M D R S
N I D T S A T A Y O E E E U
C P T N Z U T U N M D R F E
E I B I U S B T S A E H T S
L C N C S F H S E O L N S S
L E Z W H L E R C C F E T Y
A R E J Y A L R H R R F L E
T N L A W E N E R D I L E A
I S R I B W C G D G I B P R
O V O A A K H A E B M O E L
N V L C S M D E L I V E R Y
```

PUZZLE 17   ANTIQUE HUNTING

1. AGE
2. ART DECO
3. AUTHENTICITY
4. BRONZE
5. BUYER
6. CAMEO BROOCH
7. CATALOG
8. CHINA
9. CLOCK
10. COINS
11. COST
12. CUP
13. DEALER
14. EXPENSE
15. FIND
16. FURNITURE
17. GLASS
18. HISTORY
19. HOBBY
20. LANTERN
21. PERIOD
22. QUALITY
23. RARITY
24. SILVER
25. STORE
26. STUDY
27. TABLE
28. TANKARD
29. TAPESTRY
30. VALUE
31. VASE

```
Q C A M E O B R O O C H J M
U Y T P D Y R J V C F O L A
A T A T A C K E S A Y I S R
L I N A U N Y C L T L Y N T
I C K P V L I B O A O U E D
T I A E V A V H B L E R E E
Y T R S F N C D C O C D E C
R N D T S T U D Y G H S R O
O E O R N E G M T S N A S B
T H I Y I R V A S E R I R U
S T R O O N B A P I L O E S
I U E W C L L X T V N G Y N
H A P Z E G E Y E Z A S U W
F U R N I T U R E R E J B W
```

1. BACK
2. BANK
3. BONE
4. CAMP
5. CHINA
6. CODE
7. COMMANDMENT
8. CONTRACT
9. DATE
10. DEADLOCK
11. DOLLAR
12. EGGS
13. FAST
14. GAIT
15. GLASS
16. HABIT
17. LEASE
18. LEGS
19. LIGHT
20. MIRROR
21. MONOTONY
22. NECK
23. NEWS
24. OATH
25. PACE
26. PACT
27. PEACE
28. PLATE
29. RADIO
30. RANKS
31. RECORD
32. STRIDE
33. TOOTH
34. TOYS
35. VOWS
36. WATCH
37. WINDOW
38. WORD

PUZZLE 18 — GIMME A BREAK!

```
T Y N O T O N O M H O Q W X
T H T O O T K L F P C H S E
P O G B I P A C T A M T T O
V D Y I P D N B E Q S A A T
R O Y S L E A B O N L T C W
A L W O W C K R O P H A S M
N L U S K T N C C N R G I R
K A T C I Z W O O T E R G E
S R I B E G D O N L R A C C
T E A G P E L O D O D A W O
R H G E T K C A R N P A W R
I S A A N L E A S E I O E D
D C D A N I H C C S R W C D
E F B C O M M A N D M E N T
```

PUZZLE 19 | PRECIOUS STONES

1. AMBER	18. JEWEL
2. AMETHYST	19. ONYX
3. AQUAMARINE	20. OPAL
4. BERYL	21. PEARL
5. CAMEO	22. PRECIOUS
6. CARNELIAN	23. REFRACT
7. CITRINE	24. RHINESTONE
8. CORAL	25. SAPPHIRE
9. CUT	26. SCARAB
10. DIAMOND	27. SET
11. FIRE	28. SHINE
12. GARNET	29. SPARKLE
13. GEM	30. SPINEL
14. GLEAM	31. ZIRCON
15. GOLD	
16. GRIND	
17. JADE	

```
F C S A P P H I R E B B G G
D M A P G R S P X A E L A F
E N I R T I C E R Y E R E J
L A I E N E G A T A N N N S
M N D C R E C R M E I O O P
D O A I M S L L T H R T T I
A E F O A J O I S G A C S N
L M Z U I M E P A H M A E E
F A E S S D O W A N A R N L
W C I T A R L N E L U F I K
X Q U J H A E Y D L Q E H R
L C X R R V B R L A R R A
C W I O L G S V M E O G Q P
N O C R I Z X T Q A B G F S
```

1. ACORNS
2. BEAVER
3. BOUGHS
4. BUSH
5. CAVES
6. CEDAR
7. CREEK
8. CROW
9. CUBS
10. FERN
11. FOXES
12. HUSH
13. INSECTS
14. KNOLL
15. MAPLE
16. MINK
17. MOUSE
18. OTTER
19. OWLS
20. PATH
21. PINES
22. PORCUPINE
23. RABBIT
24. RAVEN
25. SKUNK
26. SPRING
27. SPRUCE
28. SQUIRREL
29. TIMBER
30. TREE
31. TWIGS
32. UNDERBRUSH

```
X R E V A E B Q R A B B I T
O A L E U N D E R B R U S H
W D A L E C I W V K W S S H
L E D C O R C C N O E U T P
S C P Y O N T U R X H A W M
D T B P E R K C O E P W I W
L S C V G S N F T X E N G E
E P A E P A T S T N K K S N
R R Y S S I M J E N Z U E S
R U B J M N N A R V O L P H
I C V B H O I E P M A R V G
U E E M H S F G S L I C I U
Q R P O R C U P I N E M S O
S B U C B R E B G E I Q B B
```

PUZZLE 21 — NAMED JAMES

1. AGEE
2. BAKER
3. BALDWIN
4. BELUSHI
5. BRADY
6. BRODERICK
7. BROLIN
8. CAAN
9. CAGNEY
10. CARVILLE
11. CLAVELL
12. COBURN
13. DALY
14. DEAN
15. EARL JONES
16. GALWAY
17. GANDOLFINI
18. GARFIELD
19. HILTON
20. INGRAM
21. JOYCE
22. KEACH
23. LEVINE
24. MADISON
25. MASON
26. MICHENER
27. POLK
28. SPADER
29. TAYLOR
30. TUPPER
31. WATSON
32. WATT
33. WOODS

```
D E A R L J O N E S D O O W
L O S P A D E R E K A B S I
E L L I V R A C Y O C Q B H
I E H I L T O N V L Z K R S
F M A D I S O N A N E E O U
R O L Y A T R V O E N A D L
A C B P C U E S G E D C E E
G A P A B L T A H P L H R B
I G A O L A B C G E O E I E
N N C Y W D I R V A P L C B
G E P L W M W I O P L Y K R
R Y M A S O N I U L O W S A
A U T D V E G T N J I S A D
M T Y G A N D O L F I N I Y
```

PUZZLE 22 ✕ **PROFILE: AUSTRIA**

1. ALPINE
2. ANLAUF VALLEY
3. BEER
4. CASTLES
5. CLOCK TOWERS
6. COFFEE
7. CRUISE
8. DANUBE
9. GERMAN
10. GLACIER
11. GLASS SCHOOLS
12. GRAZ
13. ICE CAVES
14. INNSBRUCK
15. MOZART
16. MUR RIVER
17. REED LAKE
18. RHINE VALLEY
19. ROMAN RUINS
20. SAILBOATS
21. SALZBURG
22. SKIING
23. SLOPES
24. TORTE
25. TOURS
26. VIENNA
27. WALTZES

```
C O F F E E B U N A D T S P
F R S L O O H C S S S A L G
Y S U K C U R B S N N I O L
R E V I R R U M I L C I P A
A V L X S D W U A C L T E C
N A S L L E R U Z P O X S I
N C E T A N F S A G C E K E
E E M K A V M S R F K T I R
I C Q M A O E U G U T R I N
V I O L Z L B N A T O O N A
W R L A T Z D L I B W T G M
S E R S L Z M E I H E U T R
Y T A A L P I N E A R E V E
H C S E Z T L A W R S Q R G
```

23 ╳ SOMEPLACE TO GO

1. AIRPORT
2. ARENA
3. BANK
4. BEACH
5. BISTRO
6. CAFE
7. CASINO
8. CHURCH
9. CIRCUS
10. COLLEGE
11. COURT
12. DEPOT
13. DINER
14. DISCO
15. FARM
16. GYM
17. HOTEL
18. MARKET
19. MOSQUE
20. NIGHTCLUB
21. OFFICE
22. PARK
23. POOL
24. RANCH
25. RESORT
26. RINK
27. RODEO
28. SALON
29. SPA
30. STORE
31. STUDIO
32. TEMPLE
33. THEATER
34. WOODS
35. ZOO

```
R Z D I S C O R T S I B P T
E H O T E L C T H D O U C E
T F L O N O P V C O F L O M
A A C D U F R P R O F C L P
E R S R E O L I U W I T L L
H M T T D P S Q H M C H E E
T Y R E O K O U C H E G G R
R G O H P R S T C U C I E N
O T S C O A E T Q R C N G P
P E E A O P N S U A I Y A B
R K R E L J O O S D K C A R
I R F B Z M Y I L S I N M C
A A O S P A N E R A K O I I
C M R O N O S L P V S N Y R
```

1. ARCH
2. ARMS
3. BEND
4. BOWL
5. CLASP
6. DANCE
7. ENDURE
8. FITNESS
9. HOCKEY
10. JOG
11. JUMP
12. KICK
13. KNEEL
14. LUNGE
15. OPEN
16. PANT
17. POUND
18. PRANCE
19. PULL UP
20. PULSE

21. PUNCHING BAG
22. PUSH
23. REACH
24. REST
25. ROLL
26. ROTATE
27. RUN
28. SKIP
29. SPORT
30. SQUAT
31. STRENGTH
32. STRETCH
33. STRONG
34. SWIM
35. SWING
36. TOES
37. WAIST
38. WALK
39. YOGA

```
C P U N C H I N G B A G P W
K X E C N A D B G S A J P A
N S S R F I T N E S S U H I
E T L O L W I O S N S M T S
E R U L A W T E N H D P G T
L O P L S R O V H C R A N S
P N K S E E P B R L W A E Q
U G X S T R R M K E P H R U
L K T S A R U U R I A O T A
L T K N T C E N D O C C S T
U I C J O Y B T S N P K H R
P E O B R D O M C W E E B O
E G N U L D R G Q H I Y N P
P O U N D A P S A L C M H S
```

25 ✕ BILL OF RIGHTS WORDS

1. ASSEMBLE
2. BAIL
3. CONGRESS
4. CONSENT
5. DEFENSE
6. DELEGATED
7. DENY
8. DISPARAGE
9. DUE
10. EFFECTS
11. FINES
12. KEEP
13. LAW
14. LIMB
15. OATH
16. PAPERS

17. PEACEABLY
18. PRESS
19. PRIVATE
20. PROPERTY
21. REDRESS
22. RELIGION
23. RESPECTING
24. SEARCHES
25. SPEECH
26. SPEEDY
27. SUBJECT
28. TRIAL
29. WARRANTS

```
V S J E D I S P A R A G E P
R C A K D D E T A V I R P R
E L E E S E E L S O N R K O
S E N S B T F L B P K E D P
P Y G A U I N F E M E U S E
E Y I A N B C A E G E E R R
C L C E O S J O R C A S D T
T B S O P A S E N R T T S Y
I A S E N S T P C G A S E A
N E E L E S P H A T R W R D
G C M R B B E Y T P R E S S
H A D X M S S N Q I E I S L
R E L I G I O N T C N R A S
R P L E S N E F E D V W S L
```

PUZZLE 26 CORPORATE FITNESS

1. ATTEND
2. BACK CARE
3. BIKE
4. EMPLOYEE
5. EXERCISE
6. FACILITIES
7. FREE
8. GET IN SHAPE
9. GOALS
10. GYM
11. HEALTHY
12. HELP
13. INCENTIVE
14. IN-HOUSE
15. KEEP FIT
16. LIFT WEIGHTS
17. LOSE WEIGHT
18. LUNCH
19. MACHINES
20. OFFICE
21. PROGRAMS
22. REDUCE STRESS
23. STEAM ROOM
24. SUPERVISOR
25. TEACH
26. TREADMILL
27. WORK SITE

```
F L S U P E R V I S O R H E
S E I T I L I C A F E C P S
N S V F G O A L S D A A E I
M U C I T W H T U E H Z M C
O O L G T W O C T S T M P R
O H O S F N E R N E V Z L E
R N S R M S E I K U N G O X
M I E X T A T C G S L D Y E
A E W R D E R C N H I H E M
E D E M G V E G Z I T T E H
T S I E C I F F O L Q S E G
S L G B A C K C A R E L K N
L K H T I F P E E K P F I A
X L T M A C H I N E S P B Q
```

PUZZLE 27 WHEEL POWER

1. AIRPLANE
2. BOXCAR
3. BROUGHAM
4. BUCKBOARD
5. BUS
6. CANNON
7. CARRIAGE
8. CART
9. CHARIOT
10. DINING CAR
11. FIRE ENGINE
12. FLATCAR
13. JEEP
14. LANDAU
15. LORRY
16. MOWER
17. PULLMAN
18. RICKSHAW
19. SHAY
20. SQUAD CAR
21. SULKY
22. SURREY
23. TAXI
24. TRAILER
25. TRAIN
26. TRAM
27. TRICYCLE
28. TRUCK
29. UNICYCLE
30. WAGON

```
D I N I N G C A R N R D W E
R E O T A S J Y E R R U S L
A L N O T C A R R I A G E C
O C N I L A N D A U B N N Y
B Y A R A W X O K C T R A C
K C C A A R N I G Y T X M I
C I S H A I M U M A K A L R
U N B C A Y R A E T W L L T
B U X R A E R P H M R V U F
S O T H L T I R L G O U P S
B Q S I W U B O O A U W C J
I R A C D A U Q S L N O E K
P R F I R E E N G I N E R R
T O R I C K S H A W P L O B
```

1. ALLEGHENY
2. AMERICAN
3. CEDAR
4. CHEYENNE
5. COLUMBIA
6. CONNECTICUT
7. DELAWARE
8. ELK
9. GILA
10. GREEN
11. HUDSON
12. LICKING
13. NEOSHO
14. NEUSE
15. OHIO
16. OSAGE
17. OUACHITA
18. PEACE
19. PENOBSCOT
20. PLATTE
21. POTOMAC
22. REESE
23. SALT
24. TALLAHATCHIE
25. TIOGA
26. WABASH
27. YELLOWSTONE

```
E A B H T O P W E B N G N E
N J T R H L U R H E C A E P
O T Q U A S A A O U C Y P H
T P F T C W A S C I D E O Z
S C T R A I H B R H L S T P
W E H L R O T E A K I Y O E
O N E E I V M C D W C T M N
L D E H Y A N L E G K V A O
L S O E L E O A C N I Q C B
E U C I R F N N G E N C Y S
Y M G M N G C N E O G O O C
A I B M U L O C E U I A C O
Y N E H G E L L A G S T S T
T A L L A H A T C H I E G O
```

PUZZLE 29 — PAPIER-MÂCHÉ

1. ANIMALS
2. BOWLS
3. BROWN PAPER
4. BRUSH
5. CARICATURE
6. CLOWNS
7. DISPLAY CASE
8. DRY
9. EMULSION
10. FILE
11. FLATTEN
12. FLOUR
13. KNIFE
14. LACQUER
15. MALLET
16. MODEL
17. MOLD
18. PLASTIC
19. PLIERS
20. PUPPETS
21. RESIN
22. SANDPAPER
23. SAWDUST
24. SCALPEL
25. SCISSORS
26. SHAPE
27. SQUEEZE
28. TAPE
29. VARNISH
30. WAX

```
Y B U S S C I S S O R S C Y
R I O N H D U E L M E A Y B
H U N W L N L P A A R T R S
B N O O L I O L U I M O Q C
R N M L F S L I C P W I I T
U S U C F E D A S N P T N R
S A S E T R T L P L S E E A
H W C Z Y U A A I A U P T S
S D A E R C P E L M A M H S
I U L E Q E R P O P X A E K
N S P U R S D D D E P A T N
R T E Q B Q E N Z E M T W I
A R L S F L A T T E N U V F
V Y U D I S P L A Y C A S E
```

1. AXLE
2. BRAKE
3. CARGO
4. CRATES
5. DIESEL
6. DOCK
7. DOORS
8. DRAYAGE
9. DRIVER
10. DUAL
11. DUMP
12. EXPERT
13. FARM
14. FLATBED
15. FUEL
16. GASOLINE
17. GATES
18. HITCH
19. HOIST
20. LANES
21. LORRY
22. MIRROR
23. RAMP
24. REPAIRS
25. REST STOP
26. RIGS
27. SCALES
28. SHIFT
29. SIGNAL
30. TIRES
31. TOWING
32. TRACTOR
33. TRANSPORT
34. TREAD
35. TRUCK
36. VANS

```
S H I F T C E D M E T D T D
J D A Z R L A F X R U R D R
C R U A X E U P U M A O C I
M T T A R E E C P C C H H V
Y E O T L R K M T K A O C E
S N S W T S A O S E R I T R
T I D G I R R S E C G S I L
E L E A I N B O E G O T H E
G O B T R I G S O L A N E S
A S T E Y R R O L D A V E E
Y A A S R I A P E R A C N I
A G L A N G I S Z N Z N S D
R Y F U T R O P S N A R T F
D P O T S T S E R O R R I M
```

PUZZLE 31 | NAVAJO WEAVING

1. AMERICAN
2. ARTIFACTS
3. BASKET
4. BEADS
5. BLANKET
6. CHANGE
7. CRAFT
8. CREATE
9. CULTURE
10. DYE
11. FEATHERS
12. FIBER
13. FLEECE
14. INDIAN
15. LOOM
16. MIRROR IMAGE
17. NATIVE
18. NAVAJO
19. PATTERN
20. ROWS
21. RUG
22. SAGE
23. SPAN
24. SPINDLE
25. STYLE
26. TOOLS
27. TRIANGLE MOTIF
28. TRIBE
29. WEAVE
30. WRAP
31. YARN

```
D T R I A N G L E M O T I F
J J D M F Q N K E G E M F E
A R T I F A C T S K N E V F
M E U Z I M A L N S A A L C
I Y V D F E O A W T E E H S
R D N I R O L O H W E G P C
R I B C T B R E L C F A T N
O E B N Y A R N E X N S Z R
R L L A A S N C U L T U R E
I D G Y S V S B E A D S U T
M N R U T K A N W B P H R T
A I A Z R S E J A T I A Y A
G P Z C R A F T O R V R R P
E S X R A M E R I C A N T W
```

1. CALCANEUS
2. CALCIUM
3. CARPUS
4. CHEEKBONE
5. FEMUR
6. FIBULA
7. FRAME
8. GLADIOLUS
9. HUMERUS
10. ILIUM
11. LUMBAR
12. MANDIBLE
13. MASTOID
14. NASAL
15. OCCIPITAL
16. PATELLA
17. PELVIS
18. PHALANGES
19. RADIUS
20. RIBS
21. SACRUM
22. SKELETON
23. STERNUM
24. STRUCTURE
25. TARSUS
26. TIBIA
27. ULNA
28. VERTEBRAE

```
E L B I D N A M T A R S U S
A R M N A R U Q G L C B E E
R E U S O R U L Z U M I G E
B C A T C T A M V B U R M R
E L A A C D E J E I N A H Y
T N S R I U M L S F R Q U Y
R U E O P G R U E F E J M C
E V L G I U E T I K T A E R
V U X N T N S B S C S I R A
S E G N A L A H P T L H U D
A G G C L K Z S O I I A S I
A L L E T A P I U X K B C U
R A B M U L D M P E L V I S
C H E E K B O N E F T C I A
```

1. BASKET
2. BLANKET
3. BOOK
4. BROCHURE
5. CANDLE
6. CAP
7. CARVING
8. CLOCK
9. COINS
10. DOLL
11. FLAG
12. FLOWER
13. GLASSWARE
14. JACKET
15. MUG
16. NECKLACE
17. PENNANT
18. PICTURE
19. PLACE MATS
20. PLANT
21. PLAYBILL
22. PORTRAIT
23. POSTER
24. POTTERY
25. PROGRAM
26. RING
27. ROBE
28. SCARF
29. STICKER
30. SWEATER
31. TICKET

```
P L A C E M A T S H R K S E
J T E K S A B C A E M C L C
P A C R G R A V K M A O L A
E W C S U R P C R R D L I L
R P Y K V H I P F E C C B K
A R T I E T C R O T W D Y C
W O N I S T T O I T T O A E
S G W K C W U A R N T F L N
S R U G P K R R A B G E P F
A A A M S T E L Y F L A R E
L M B N R T P T Z D E L L Y
G J I O S T E K N A L B O F
V O P O O T N A N N E P O D
C V P O H K C S W E A T E R
```

PUZZLE 34

RESTAURANTS

1. APRON
2. BANQUET
3. BOOTH
4. BUSBOY
5. BUTTER
6. CASHIER
7. CHARGE
8. CHECK
9. COOK
10. COUNTER
11. DESSERT
12. DISHES
13. DRINKS
14. FOOD
15. GLASS
16. HAND
17. HELP
18. HOSTESS
19. LUNCH
20. MENU
21. NAPKIN
22. ORDER
23. RARE
24. SALAD
25. SALT AND PEPPER
26. SERVICE
27. SMILE
28. SODA
29. SPECIALS
30. STATIONS
31. TABLECLOTHS
32. TABLES
33. TIP
34. TRAY
35. UNIFORMS
36. WAITERS
37. WATER

```
O K G H T O O B S K P L E H
D C D C R E T T U B O F C E
N E S P E C I A L S E O T L
A H S A P R O N K N B A C I
H C O S P S K N I S B O I M
T A B L E S I K R L U L Y S
S O D A P R P E E N U J O C
M N C D D A T C T N B O S A
R V O H N I L E C I V R E S
O O G I A O R H U Y P D H H
F U L W T R O E A Q E E S I
I N A H L A G R T C N R I E
N E S O A R T E S A L A D R
U M S S S E T S O H W B B Z
```

PUZZLE 35 SING PRAISE

1. A CAPPELLA
2. AMEN
3. CANTATA
4. CAROL
5. CHANT
6. CHAPEL
7. CHOIR
8. CHORALE
9. CONGREGATION
10. CONTEMPORARY
11. GLORIFY
12. GOSPEL
13. HALLELUJAH
14. HOLY
15. HYMNAL
16. MASS
17. MUSIC
18. ORATORIO
19. ORGAN
20. PIANO
21. PRELUDE
22. REQUIEM
23. SERVICE
24. SING
25. SPIRITUAL
26. WORSHIP

```
Q M S L H A J U L E L L A H
O E L A R O H C C R V S N S
Y I M E L R W L O C I J X P
R U R U P G W A N N H A M I
A Q K O S S R O G P L A C R
R E L E T I O S R L S A N I
O R V E O A C G E S N U G T
P W C H P F R P G T H L P U
M R C H T A P O A N O I R A
E L E I Y A H T T R A A P L
T M F L C M A C I N M G O E
N L O A U D N F O E A R R S
O H Z P Z D Y A N M A T S O
C E C I V R E S L C T G Z K
```

YOU CAN DO IT!

1. ADVANCE
2. ATTRACT
3. BEAR
4. DEFEND
5. DELAY
6. DISCOVER
7. EARN
8. ERECT
9. FACE
10. FIND
11. FLEE
12. HANDLE
13. JUMP
14. LEAD
15. LEAVE
16. LET BE
17. LOVE
18. MANAGE
19. MERIT
20. OFFER
21. ORDER
22. REASON
23. RECITE
24. REFLECT
25. RESET
26. SELL
27. SERVE
28. SHADE
29. STAND
30. SURPRISE
31. TEST
32. THINK
33. TURN
34. VERIFY
35. YELL

```
Q M A D V A N C E S R S V V
H A N D L E N O S A E R E G
L B Q M A N A G E L C R E L
E E B T E L R V L S I A V E
Z A A Y N F O D D F T M D E
X D R V E L E T Y T E A U D
D U F N E L E I R R H G N E
I N A K A S L A I S F E S D
S B C Y T L C T O R F I X K
C E E F D T E F E E R J N T
O X T A L V F S D P U I C D
V O E U R E E I R M H E I U
E L R I R T E U P T R Q U E
R E D R O N S T C E L F E R
```

HIGH TIME

1. AND MIGHTY
2. BEAM
3. BROW
4. CLASS
5. COMEDY
6. DENSITY
7. FLIER
8. FREQUENCY
9. GEAR
10. GRADE
11. HANDED
12. HORSE
13. IN VALUE
14. LIGHT
15. MINDED
16. NOON
17. OCTANE
18. PITCHED
19. POWER
20. PROFILE
21. RANK
22. REGARD
23. RELIEF
24. RISE
25. SCHOOL
26. SPEED
27. STEPPING
28. STRUNG
29. STYLE
30. TECH
31. TENSION
32. TIDE
33. TIME
34. WIND
35. WIRE

```
R E L I E F S T E P P I N G
H M H D T D E N S I T Y L W
W I E E I N V A L U E O U H
O T C S A S P E E D O A F A
R H S T R U N G I H N R R D
B E C U S O R T C D E T E R
L O W T S E H S M Q E H I E
R I Y O G R S I U N C S L L
D L G A P A G E S T E E F I
E D R H L H N I I S G M R F
D D L C T C O P R R M R M O
N M N Y Y N O A A A G E A R
I E R I W O N D E D N A H P
M U R V W K E B C O M E D Y
```

THE ETERNAL CITY

1. ARMY
2. ARTS
3. CAESAR
4. CIRCUS
5. CITY
6. COLOSSEUM
7. FALL
8. FREE
9. GODS
10. HILLS
11. JURY
12. LATIN
13. LAWS
14. LEGION
15. MARS
16. MYTH
17. NERO
18. PATRON
19. PLUTO
20. POMPEY
21. POWER
22. PUNIC WARS
23. REMUS
24. RISE
25. ROME
26. ROMULUS
27. RULE
28. SATURN
29. SENATE
30. TIBER
31. TRAJAN
32. TROOPS
33. VENUS
34. VESTA
35. VETO
36. VIRGIL
37. VOTE

```
Y C I R C U S P O O R T V P
S R A W C I N U P S F E R N
Q U U R A S E A C A S E C O
N M L J E P E H L T M C T R
E O U U V B O L A U V E P T
S T I E M H I M S R V O A A
Y U A G S O V T P N W R T P
R L A N E S R I C E T I Y E
U P D R E L O H R S Y T V T
L H A O M S T L G G I L E R
E K R L M Y U R O C I M N A
C E A A M F H I D C O L U J
N W R H I L L S S R R N S A
S S F F G J J J E J L A T I N
```

1. ABSEIL
2. ANCHOR
3. ANGLE
4. ARETE
5. CANYON
6. CHEST TIE
7. CLEFT
8. DIET
9. DIVIDE
10. DRIFT
11. ECHO
12. EROSION
13. FACE
14. FAULT
15. FROST
16. GRUELING
17. IBEX
18. IGLOO
19. KNOT

20. LANCE
21. LIFT
22. MASK
23. NICHE
24. PACK
25. ROAD
26. ROCK
27. SLIDE
28. SPOOR
29. STAGE
30. STEPS
31. TARN
32. TOILER
33. TRAIL
34. VALLEY
35. WANDS
36. WOOL
37. ZERO

```
N M A S K A G N I L E U R G
I S Z M T L N A N G L E E E
C D I E T E T C E K L C U B
H N K M R S P T H I H O M U
E A P G O O E S O O L G I E
I W N R B R V T K I R E N W
T B F R A G B A A C D A O R
T C S T A G E R L I O O I X
S G A Y O T T E V L L R S K
E L L N E T F I X M E K O C
H E Q D Y T D E C A F Y R A
C L I F T O B L A N C E E P
T L U A F I N A B S E I L G
S P O O R V D R I F T O N K
```

PUZZLE 40 — BOUNTIFUL BREAD

1. BANANA
2. BRAN
3. BREAD
4. BUNS
5. BUTTER
6. CHEESE
7. CROISSANTS
8. CROUTONS
9. CRUMBS
10. CRUST
11. EGGS
12. FLOUR
13. FRENCH
14. GARLIC
15. GRAIN
16. HONEY
17. ITALIAN
18. KNEAD
19. LOAF
20. MIX
21. OATMEAL
22. ONION
23. PANS
24. PITA
25. RISE
26. ROLLS
27. RYE
28. SLICED
29. SUBS
30. TOAST
31. WHEAT
32. WHITE
33. YEAST

```
C I T A L I A N S L L O R N
R B S F T T I A N A N A B K
O U U L I O F R E N C H R M
U T O P I N A M D A W E I E
T T C L S C T S T X P X S G
O E R B F A E S T W Q B E G
N R U P O J U D H S A X M S
S S M J C R O I S S A N T S
B B B Z C Q T N C B F E H C
V R S R B E O K U H S A Y H
Z G A R L I C N T Y E N O H
I R E N N V S E L R X E A L
T A Y O A G R A I N X N S P
D W H E A T D D F C D E W E
```

PUZZLE 41 THE ICE CAPADES

1. ACTS
2. APPEAL
3. ARENA
4. BALLET
5. BEAUTY
6. CANDY
7. CHILDREN
8. CHORUS
9. CLOWNS
10. COSTUMES
11. DANCE
12. FOOD
13. GIRLS
14. GLIDE
15. LEAP
16. LIGHTS
17. PLAN
18. POPULAR
19. PROGRAM
20. RING
21. ROUTINES
22. SEATS
23. SHOW
24. SKATE
25. STARS
26. TALENT
27. TICKETS
28. TRICKS
29. USHER
30. VISIT
31. WAIT
32. WATCH
33. WINTER

```
D P G S U R O H C B K R C S
B O L L R T I T P A E L L U
T E O A I I E S I H C P O Z
Z I A F N D K L S S R T W L
A F C U G A E U L O I O N I
C R P K T Z I H G A H V S G
C H E E E Y C R W S B Y S H
O A I N K T A M K P W J E T
S S G L A M S C G I A C N S
T T C W D B I I N P N E I S
U A A U C R R T P A L O T Q
M R N E T L E E D A R C U V
E S D E S R A N T H A E O E
S Y Y R A L U P O P E A R R
```

1. BASEBALL
2. BINGO
3. BOCCIE
4. BOWLING
5. BRIDGE
6. CHARADES
7. CHECKERS
8. CHESS
9. CROQUET
10. DARTS
11. FOOTBALL
12. GOLF
13. HEARTS
14. HOCKEY
15. I SPY

16. JACKS
17. KENO
18. LIFE
19. MONOPOLY
20. POKER
21. POLO
22. POOL
23. SOLITAIRE
24. SORRY!
25. TENNIS
26. TUG-O'-WAR
27. WHIST
28. YAHTZEE

```
L L A B E S A B S H Z Y L G
H K D B S T O T P D N L L Q
O Y E E H N R B A O X O A C
C C H I E A R R I S L P B H
K C S K E Z T C E N U O T E
E P U H F S T D R E G N O C
Y H J Z I R A H I O X O O K
G O Y N L R B C A J Q M F E
D N N C A G C R T Y A U R R
T E I H Y O P S I F N C E S
T H C L B R E O L D W A K T
T U G O W A R O O H G I O S
B Q Q W T O G O S L Y E P U
M M U E O F B T S I H W D Q
```

1. ADAMS
2. BANKS
3. BAYS
4. CANOE
5. CHILKO
6. CHIP
7. CLAIRE
8. CLEAR
9. CONN
10. DAMANT
11. DEER
12. DORE
13. EAGLE
14. EVANS
15. FORDE
16. GABBRO
17. GARRY
18. GORDON
19. HALL
20. ISLAND

21. JOSEPH
22. LYNX
23. MAYO
24. MILLS
25. NOSE
26. OLD WIVES
27. PAYNE
28. POINT
29. RICE
30. SALT
31. SAMBA
32. SANDY
33. SNARE
34. SPLIT
35. TROUT
36. WECHO
37. WINNIPEG
38. WOLF

```
N S O G B Y G O R D O N C B
Z A L O A F H T I L P S A C
G N D H N B P P C P U Y N H
E D W C K J B A E E S X O E
P Y I E S O N R Y S R U E Y
I K V W Q Y H R O N O A Y X
N C E R O D A P S N E J N E
N L S C T E L S N O D Y D S
I A H U L H L R A C L R A S
W I O C M M E Y V L O A M M
P R A I A E L R E F T B A A
T E L Y D P G R I S L A N D
F L O W R D A A B M A S T A
S P O I N T E G O K L I H C
```

INDICATORS

1. ATLAS
2. BADGE
3. BEACON
4. CHARTS
5. COMPASS
6. EMBLEM
7. FLAG
8. GUIDE
9. HORNS
10. LAKE
11. LANDMARK
12. LATITUDE
13. LIGHT
14. LINE
15. LOGO
16. MARKER
17. METER
18. MILEPOST
19. NEEDLE
20. NORTH STAR
21. NOTES
22. PASSWORD
23. POINTER
24. POLARIS
25. RADIO
26. ROAD MAP
27. ROCKET
28. ROUTE
29. SIREN
30. TENT
31. TIPS
32. TOTEM
33. TRACER

```
C B D T S O P E L I M R A S
P O I N T E R P Z S O M T C
N P M H E E N E O C V R L N
S E G P T R D I K L A G A O
B I E E A U I E L H A M S R
L E M D T S T S C L E R Q T
B G A I L R S R F E G C I H
H D T C E E B T A L K W M S
Q A S K O R H H O C K A E T
L B R C R N A O C T E T L A
P A S S W O R D R L E R B R
M B G E D I U G I N O M M O
R O A D M A P T T O S G E F
L A N D M A R K E S E T O N
```

PUZZLE 45 ✕ LEMONS

1. ACID
2. AROMATIC
3. CITRUS
4. CURED
5. ELLIPTICAL
6. FLOWERS
7. FRUIT
8. GARNISH
9. GRADED
10. HAIR RINSE
11. HARVEST
12. JUICE
13. LEMONADE
14. OIL GLANDS
15. PEEL
16. POLISH
17. PULP
18. RIND
19. ROUGH
20. SEEDS
21. SEGMENTS
22. SOAPS
23. SOUR
24. STORED
25. TREES
26. VITAMIN C
27. WARM CLIMATES

```
A H A R V E S T N E M G E S
S H S E T A M I L C M R A W
I G A E I N L R S V L E T S
S U I I E S A T I E F E E D
V O S A R R O O L N S E E V
I R A N R R T L L S D R F P
T G J P E O I E D S U R R U
A C A D S P M N E C U Y C F
M G L R T O A A S I B P L C
I S R I N L U U T E P O K Y
N M C A G I R R C I W L D D
C A D L D T S I Z E C I U A
L E I Q I E U H R C C S Z P
I O M C I J D S B A H H U S
```

PUZZLE 46 — UP IN A BALLOON

1. ALPS
2. ASCEND
3. BASKET
4. CRUISE
5. DESIGNS
6. DUST
7. ESCAPE
8. FLIGHT
9. FUEL
10. GUSSET
11. HULL
12. LICENSE
13. LIFTOFF
14. LOCK
15. LOOKOUT POST
16. PACKS
17. PANELS
18. PATTERNS
19. PIBALS
20. PILOT
21. PLUNGE
22. POWER
23. RACE
24. RIDING
25. ROUGH
26. SEAMS
27. SILK
28. SOLO
29. SPECTATOR
30. SPEED
31. SPORT
32. SWING
33. TETHER ROPE
34. WAVE
35. WIND

```
S  P  E  C  T  A  T  O  R  E  W  O  P  S
R  E  P  O  R  R  E  H  T  E  T  G  S  I
T  S  T  D  D  S  L  A  B  I  P  E  J  L
S  N  F  N  S  N  R  E  T  T  A  P  L  K
O  E  L  E  S  W  I  P  A  M  R  U  Q  C
P  C  I  C  R  P  A  W  S  S  H  G  P  O
T  I  G  S  A  D  O  V  P  T  P  A  A  L
U  L  H  A  C  P  E  R  E  A  S  E  N  R
O  R  T  P  E  E  N  S  T  S  C  C  E  I
K  L  O  O  L  P  S  S  I  E  W  K  L  D
O  L  O  U  L  U  A  I  P  G  K  I  S  I
O  Q  E  S  G  I  N  C  U  L  N  S  N  N
L  T  S  U  D  H  P  G  S  R  A  S  A  G
F  F  O  T  F  I  L  K  E  E  C  I  F  B
```

PUZZLE 47 — WEDDING GOWNS

1. ADMIRE
2. BEADS
3. BOUFFANT
4. BOWS
5. CHIFFON
6. DAINTY
7. DAZZLING
8. DRESS
9. FINE
10. FLUFFS
11. GORGEOUS
12. IVORY
13. LENGTH
14. LONG
15. LOVELY
16. ORGANZA
17. PLEAT
18. POSH
19. RIBBONS
20. RUFFLED
21. SASH
22. SATIN
23. SEQUIN
24. SHIMMERY
25. SILK
26. SPLENDID
27. SUPERB
28. TRAIN
29. TRIM
30. VEIL
31. WEAR
32. WHITE

```
L S F F U L F P T P G S O H
B O U F F A N T L N S R X P
I G V P Z X S U O E G R O G
Z E E E E Z T L R A N S Z V
O S R N L R T D N N H G U P
P P Y I I Y B Z K L I S T M
N L R M M F A Y M C V A R H
O E E S S D A E B L R I R N
F N M A A T A D U U B K I T
F D M W T T A L F B S U R Y
I I I H F I I F O W Q A R V
H D H I N E L N O E E O S P
C C S T V E S B S W V V Y H
V A Y E D A Z Z L I N G W K
```

PUZZLE 48   WHAT AMOUNT?

1. ABUNDANT
2. ADEQUATE
3. AMPLE
4. AVERAGE
5. GOODLY
6. GREAT
7. HANDSOME
8. HUGE
9. JUMBO
10. LARGE
11. LAVISH
12. LIBERAL
13. MASSIVE
14. MEAGER
15. MEASLY
16. MEDIOCRE
17. MEDIUM
18. MINUTE
19. NORMAL
20. OPULENT
21. PLENTIFUL
22. PROFUSE
23. SCANTY
24. SENSIBLE
25. SIGNIFICANT
26. SIZABLE
27. SMALL
28. TINY
29. USUAL
30. VAST

```
S E M O S D N A H L B S R U
I S I G N I F I C A N T S O
Z A N M P L E N T I F U L F
A E U I E E V I S S A M T U
B T T Y L D O O G L V S L E
L A E B E L I B E R A L R L
E U G G T G A U Y V A E A B
R Q O R R I A T M M G M P I
C E H P E A N R S A R C R S
O D S M U A L Y E O E O O N
I A I X C L T M N V B G F E
D H V S Z F E L P M A S U S
E T A T N A D N U B A N S H
M Y L S A E M J T Z Y U E L
```

PUZZLE 49 ⨉ WHO'S IN CHARGE?

1. ADMIRAL
2. BOSS
3. CAPTAIN
4. CHAIRMAN
5. COACH
6. DEACON
7. DEAN
8. EDITOR
9. EMCEE
10. FOREMAN
11. GENERAL
12. GUIDE
13. JUDGE
14. KING
15. LEADER
16. MANAGER
17. MAYOR
18. OVERSEER
19. POLICE OFFICER
20. POPE
21. PRESIDENT
22. PRIEST
23. QUEEN
24. REFEREE
25. SERGEANT
26. TEACHER
27. UMPIRE
28. WARDEN

```
P  P  R  I  E  S  T  M  A  N  A  G  E  R
R  N  G  O  S  E  R  G  E  A  N  T  R  E
E  I  I  E  N  R  R  R  E  A  W  O  E  C
S  A  R  P  N  E  E  E  M  M  Y  T  H  I
I  T  O  S  R  E  E  E  D  A  C  Z  C  F
D  P  Z  W  S  Q  R  U  M  A  S  E  A  F
E  A  X  R  A  O  N  A  Q  D  E  O  E  O
N  C  E  N  F  R  B  A  L  M  K  L  T  E
T  V  O  G  O  E  D  W  M  I  M  C  A  C
O  R  Q  T  D  C  A  E  N  R  O  L  X  I
V  C  I  I  S  U  A  G  N  A  I  F  C  L
Q  D  U  Y  M  R  J  E  C  L  E  A  V  O
E  G  X  L  L  Q  Y  H  D  N  P  D  H  P
U  M  P  I  R  E  E  R  E  F  E  R  L  C
```

PUZZLE 50 — CASH REGISTER

1. AUDIT STRIP
2. AUTOMATIC
3. BAR CODE
4. BRASS
5. CASH
6. CENTS
7. CHANGE
8. CHECK
9. DATE
10. DESIGN
11. DOLLARS
12. ELABORATE
13. ELECTRONIC
14. FAST
15. KEYS
16. LASER READ
17. MACHINE
18. PRESS
19. RECEIPT
20. RESPOND
21. RING UP
22. SALE
23. SCANNER
24. STORE
25. TAPE
26. TASK
27. TERMINALS
28. TILL
29. TOTAL

```
C I T A M O T U A K R J E S
E A P S S M V I B Q C G S S
N S T K A R A R R E N E L M
C G L M T F A C E A R A H S
I X I A H S G L H P N O C C
N C S S S C Y C L I A A T Z
O K A A E E X E M O N T U S
R C M N A D R R K N D E K R
T R T H V W E R E V L V P E
C S G E Y T T R E A D U U C
E D O C R A B O S A L P G E
L E L A B O R A T E D L N I
E F D N O P S E R A L J I P
A U D I T S T R I P L P R T
```

19. MASSAGE
18. LOCKS
17. LAYER
16. HENNA
15. EXTENSIONS
14. DYES
13. DUSTS
12. CURL
11. COMBS
10. CAPE
9. BRUSH
8. BRAID
7. BODY
6. BEAUTY
5. BEARDS
4. BASIN
3. BARBER
2. BANGS
1. AFRO

36. TOWEL
35. TOUPEE
34. TISSUE
33. STRAP
32. SPLIT
31. SNIP
30. SHOP
29. SHEARS
28. SHAPE
27. SETS
26. SERVICE
25. RINSE
24. PERMANENT
23. PARTED
22. OILS
21. NETS
20. NATURAL

PUZZLE 51   HAIRDRESSING

```
F M J Z M D Y E S X S T E N
R E B R A B J S H H C L W C
T I L P S S I W E S A W I P
D U S T S H D A S R U P A Y
E S T R A P R R U E V R E T
S X D S G S A T A Q T I B U
N N T N E N A M R E P S C A
I D I E I N T E D V B X F E
R Y P P N S K C O L S R T B
N A L H R S A H H B O L O R
C S R E G Y I B M I P R U A
T L Y N W D Q O L Q O U P I
Q A A N N O C S N P H C E D
L B S A T B T T I S S U E H
```

PUZZLE 52 ✕ THANKS FOR THE MEMORIES

1. AGENT
2. BAND
3. BENEFIT
4. BOXER
5. BROADWAY
6. COMMERCIAL
7. CROSBY
8. DANCER
9. DELORES
10. EUROPE
11. FAME
12. FANS
13. FILM
14. GAGS
15. GIRLS
16. GOLF
17. GUEST
18. HOLLYWOOD
19. HUMOR
20. LAUGHTER
21. MUSIC
22. NETWORK
23. NOSE
24. PLANE
25. RADIO
26. SHOW
27. SKIT
28. SMILE
29. SOLDIERS
30. SONG
31. SPECIALS
32. STAGE
33. STAR
34. TROOPS
35. WEALTHY

```
C R O S B Y V C S W O H S B
E K R O W T E N I M B F N R
P O X T T R O O P S I F A O
O E I P L A N E F L U L F A
R Y C D R T H U M O R M E D
U D N O A S D G S E J X K W
E A O S M R R E I T M G J A
B G O O B M E E L R A A O Y
A N U F W E E T I O L G F H
G D T E L Y N R H D R S E T
E P X T S O L E C G L E X L
N X I B S T G L F I U O S A
T K R E C N A D O I A A S E
S L A I C E P S W H T L L W
```

PUZZLE 53 ✕ THE FARMER'S ALMANAC

1. ADS
2. CHARTS
3. DATES
4. DAWN
5. ESSAYS
6. FACTS
7. FISHING
8. FLOODS
9. FORECASTS
10. FROST
11. GAMES
12. GUESS
13. HELP
14. INFORMATION
15. LORE
16. MAPS
17. MEASURES
18. PARTS
19. PLANETS
20. POETRY
21. PROSE
22. PUZZLES
23. RECIPES
24. SALES
25. SEEDS
26. SUN
27. TABLES
28. TIDES
29. TIME
30. TREES
31. WEATHER
32. ZODIAC

```
C S C G N I H S I F S S F Z
Y R T E O P D H W D E B O N
A L V R E A S S E T F G R O
F S Q J A S W E A L N U E I
S L E Z H H S D D L P E C T
T M O P O Z C A M I E S A A
E S M O I H O A Y S T S S M
N G O E D C P D O S R T T R
A U A R A S E R I E R R S O
L S S M F S P R H A E N G F
P T I M E D U T P E C I A N
T A B L E S A R S A R C J I
P U Z Z L E S W E F T O R H
B D G C W O O E N S J N L O
```

PUZZLE 54 — ALL KINDS OF TIME

1. ANNUM
2. CENTURY
3. CYCLE
4. DATE
5. DAYS
6. DECADE
7. DURATION
8. EON
9. EPOCH
10. FALL
11. FLASH
12. FOREVER
13. FUTURE
14. HOUR
15. IMMEMORIAL
16. INSTANT
17. JIFFY
18. JUNCTURE
19. MINUTE
20. MOMENT
21. MONTH
22. NIGHT
23. PERIOD
24. QUARTER
25. SECOND
26. SPELL
27. SUMMER
28. TENURE
29. TERM
30. TRIMESTER
31. WEEK
32. WHILE
33. YEAR

```
G I M M E M O R I A L L A F
U F F T Y R U T N E C H T A
X O D M R W N N S U M M E R
D R M U H I U D S E C O N D
U E X I H M M E T Q H T U O
R V L O N D R E E L C F R I
A E U I A U R I S L O U E R
T R Z T T M T I L T P T Q E
I U E C N J S E N N E U I P
O C N F I E P Y I S A R W Y
N U Y F L S M G A R T E E T
J O F C F A H O T D E A Y P
B Y E Y L T S E M K R X N H
D E C A D E R H T N O M N T
```

PUZZLE 55 PENNANT DRIVE

1. ALERT
2. BETS
3. CHEERS
4. DRAMA
5. DRIVE
6. EXTRA
7. FADING
8. FANS
9. FIGHT
10. FLAG
11. GAMES
12. HEROES
13. HITS
14. HOME RUN
15. HUSTLE
16. KEY PLAYS
17. LEADERS
18. NERVOUS
19. ODDS
20. RACE
21. ROARS
22. RUNNING
23. SAVE
24. SLUMP
25. SPURT
26. STEADY PLAY
27. TEAMS
28. TENSION
29. TEST
30. THRILL
31. TIPS
32. TIRE
33. TRADES

```
T D R A M A E N T R A D E S
T S H B U L U S J R E M T R
K E E V I R D K T S S R U G
N E A T E D D X T L E N K S
E V Y M O B E I U L N M R F
R T O P S S H M A I X E A P
V H G S L H P T N R E N T G
O G H A X A E G G H S I Z M
U I H V L N Y N C T R K R Z
S F E E S F I S R E D A E L
R P R I G D S P I T I O D S
A C O L A T R U P S M H D D
O N E F E H U S T L E C A R
R F S B S T E A D Y P L A Y
```

ENGLISH CLASS

1. BOOK
2. COMPOSITION
3. DEBATE
4. DICTIONARY
5. DRAMA
6. ESSAY
7. EXAM
8. GRADE
9. GRAMMAR
10. LANGUAGE
11. LEARN
12. LIBRARY
13. MEANING
14. NOUN
15. NOVEL
16. PAPER
17. PLAY
18. POEM
19. READ
20. RECITE
21. REPORT
22. SENTENCE
23. SPEECH
24. SPELL
25. STORY
26. STUDY
27. TALE
28. TEACHER
29. TEST
30. TEXT
31. THEME
32. VERB
33. WORD
34. WRITE

```
E E G E E V V A Q X X Y Q C
A T R Z X C M Z D X R J S O
S I A C L A N G U A G E P M
T C M B R T M E R T A L E P
U E M D E L H B T Y T P L O
D R A S E D I E A N A E L S
Y R R V T L P R M P E L X I
F B O O K O T S E E N S P T
E N L W E E R R P H T O G I
V S Y M S G H Y R E C I U O
O E S T R O P E R Z E A R N
I H R A M E A N I N G C E W
S P D B Y D R N R A E L H T
S E Q R Y R A N O I T C I D
```

PUZZLE 57   GLORIOUS KNITS

1. BLACK
2. BLOUSON
3. COAT
4. COTTON
5. DIAMONDS
6. EDGING
7. GRAPHS
8. HEMS
9. JOIN
10. LINING
11. LOOPS
12. MAGENTA
13. MILL
14. NEEDLES
15. NYLONS
16. PATTERN
17. PEPLUM
18. POCKETS
19. PROJECT
20. PURL
21. PURPLE
22. ROUND
23. RULES
24. SHADE
25. SHOULDER
26. SILK
27. SKIRT
28. SOCKS
29. TEXTURE
30. TOP
31. T-SHIRT
32. VEST
33. WOOL
34. YARN
35. YELLOWS

```
L M A G E N T A C O T T O N
I K D Y N S S H O U L D E R
N P O I B I O R J E S O R S
I N O V A L G S J O I N U O
N P E C S M O D K B L R T C
G S U E K W O U E I K E X K
T R J R D E O N S N R T E S
C B O P P L T L D O R T T M
E T L U E L E S L S N A F E
J S K A N P E S H E P P Y H
O H P A C D L P P L Y O W J
R I P O A K A U L U K O O C
P R A H T R R I M R O J I L
T T S K G L M N Y L O N S J
```

PUZZLE 58 — TO THINK A THOUGHT

1. ABSORB
2. ADOPT
3. AGREE
4. CONCEIVE
5. DEIGN
6. DEMUR
7. DOUBT
8. DRIFT
9. FANCY
10. FEEL
11. FIND
12. HOPE!
13. IGNORE
14. IMAGINE
15. JUDGE
16. KEN
17. KNOW
18. LEARN
19. LONG
20. MARK
21. PLOT
22. REASON
23. RECOGNIZE
24. SENSE
25. SOLVE
26. SPECULATE
27. STUDY
28. TRUST
29. VALUE
30. WANT
31. WEIGH
32. WONDER

```
K A C O N C E I V E P O H U
W C B P A B A C G E U L A V
W B L G M T B R O S B A E L
V O R S W F B N E N N D E H
T E N K O L D U R E Y E G J
E A E K N L O Y O S F I K J
Z S T U D Y V N N D E G D L
I R U M E D E E G W O N F M
N T T W R G N I I U F V W Y
G P S N D R E A S O N I C I
O O C U A X E R J M H N N C
C D J E R W E N I G A M I D
E A L A S T H I T F I R D Y
R J E T A L U C E P S O K S
```

1. AQUATIC
2. BLOSSOMS
3. BOULDERS
4. BRIDGES
5. CALM
6. CARE
7. COMPOST
8. EXOTIC
9. FERN
10. FISH
11. FLOAT
12. FLOURISH
13. GARDEN
14. HARDY
15. LEAF
16. LIGHTS
17. LILY
18. OASIS
19. PLANTS
20. POND
21. POOL
22. RESTFUL
23. ROCKS
24. ROMANTIC
25. ROOTS
26. SECLUDED
27. STREAM
28. TRANQUIL
29. TREES
30. TROPICAL
31. VARIETY
32. WILLOW

```
S E C L U D E D C I T O X E
B M E Y G F Y T E I R A V Y
B A P L A N T S A V P S S F
F E C I Y Y P F W O K I I B
H R I L C D E O N I L S G L
S T T T V R R D O W H F A O
I S A S N A B O U L D E R S
R E U O E H W G O R K Q D S
U E Q P G D W M D T O W E O
O R A M W I L L O W S C N M
L T R O M A N T I C C K K S
F P R C C T R O P I C A L S
R E S T F U L I U Q N A R T
M L I G H T S E G D I R B E
```

PUZZLE 60 — DINNER AT THE SHORE

1. BASS
2. BEACH
3. BOATS
4. CALAMARI
5. CANDLES
6. CHEF
7. CLAMS
8. COCKTAILS
9. COVE
10. CRAB
11. DUNES
12. FOGHORN
13. FRIES
14. HORIZON
15. MENU
16. MUSSELS
17. NETS
18. OCEAN
19. OYSTERS
20. PIER
21. POTATOES
22. SALAD
23. SCALLOPS
24. SEAFOOD
25. SHRIMP
26. TABLES
27. TUNA
28. VIEW
29. WAITER
30. WINDOW
31. WINE

```
X R C P M I R H S V U E D S
P C B A R C C W I N D O W C
X M L D N A V E E S O N F A
O B Q A E D W M S F J R S L
Y O T B M T L E A G I H F L
S A Z C A S O E Z E O C S O
T T Q B H T S W S R A S L P
E S L S A E A O I L E E I S
R E S T A N F Z A N O R A L
S W O A U L O M U Q E O T E
C P Y T B N A D R T C Y K S
F O G H O R N D I E D H C S
A Z V W I Z J A A E I L O U
Q P V E F T W N C T G P C M
```

PUZZLE 61 — HIGHLY ORNAMENTED

1. BANGLE
2. BATIK
3. BEADS
4. BEAK
5. BIJOU
6. BOSS
7. CARVED
8. CHARM
9. COLORS
10. CREWEL
11. CUSP
12. CUTWORK
13. DAMASK
14. DRESS
15. EGRET
16. ENAMEL
17. FINIAL
18. FOIL
19. GEMS
20. GILD
21. LACE
22. LAMP
23. MACRAME
24. MOSAIC
25. MOTIF
26. NIELLO
27. OGEE
28. OPAL
29. PAINT
30. PARQUETRY
31. PINS
32. ROSETTE
33. RUBY
34. STRIPES
35. TAPESTRY
36. TOLE

```
T N I A P F O Q J O K P F D
E Y C I A S O M O R H P E L
R B I J O U R I O A G V A E
G U F O P A L W L I R M N R
E R N I H M T U L A P A O O
M P F C N U K D C S M S L T
A A C I C I A Q U E E L O T
R R K B T M A C L T E C B S
C Q F A A O S L T I R E P E
A U B S E S M E N E A I L P
M E K P M B S Q W D N L A I
L T B A N G L E S S O B C R
S R O L O C L W R O G E E T
D Y R T S E P A T D G E M S
```

PUZZLE 62 — Ol' MAN RIVER

1. BANK
2. BARGE
3. BASIN
4. BEDS
5. BEND
6. BOAT
7. CANAL
8. CREEK
9. CURRENT
10. DAMS
11. DELTA
12. DIKE
13. DOCK
14. EDDY
15. FISHERMAN
16. FLOW
17. FORK
18. GORGE
19. ISLET
20. LEVEE
21. LOCK
22. MOUTH
23. OXBOW
24. PIER
25. POOL
26. POWER PLANT
27. PURLS
28. RAFT
29. RAPIDS
30. RIPPLES
31. ROCKS
32. SANDBAR
33. WEIR
34. WHARF

```
B Q U N A M R E H S I F X A
A B X W O B X O T K L H A Z
R D A M S Z S K C O R R V C
G H C S K G R O G L K M U F
E Z B N I A L T D C O R L P
W H A R F N E O A U R O O V
M B B T Z L C N T E W K P F
O W H O S K A H N O E S T S
W L Y I A L T T P E D S Z E
U E N G N T L F R I D B M L
J V I O D T E C P E E D U P
K E E R B K D A B N K R Y P
P E G G A B R G D J X I X I
P O W E R P L A N T E V D R
```

63 PUZZLE		ICE CREAM VENDOR	

1. ARRIVE	20. MONEY
2. BARS	21. MUSIC
3. BELLS	22. PROFIT
4. BOMB POP	23. RIDE
5. BUY	24. SAFE
6. CHOCOLATE	25. SANDWICH
7. CONE	26. SELL
8. CROWD	27. SIGN
9. DAILY	28. STICKS
10. DRIVE	29. STOP
11. FLAVORS	30. SUPPLY
12. FROZEN	31. TASTE
13. HEAR	32. WAIT
14. ICES	33. WAVE
15. JINGLE	34. WINDOW
16. KIDS	35. WRAPPER
17. LINE	
18. LIST	
19. LOAD	

```
P U B T A S T E E W Q L R U
A R M R V B V I A P L A E N
T I O U F I O I A E W N F J
A I N F R B T M S H I W A I
R C E D I L E D B L N R S N
R E Y C I T I L Y P D A F G
I S O S V K N J L L O P L L
V N T D S U C R P S W P A E
E D A I L Y I S P O J E V P
X O G R C D U B U G V R O C
L N A D E K W B S A G T R I
N E Z O R F S O W R S C S S
H C I W D N A S R J A I E U
C H O C O L A T E C D B D M
```

HURRICANES

1. BONNIE
2. CHARLEY
3. CHRIS
4. DAVID
5. DEAN
6. DENNIS
7. DIANA
8. EARL
9. ERIN
10. FLOYD
11. FRAN
12. HARVEY
13. HELENE
14. HUGO
15. IRIS
16. IVAN
17. JERRY
18. JOSE
19. JOYCE
20. JUAN
21. KARL

22. LESLIE
23. LILI
24. LISA
25. MARIA
26. MINDY
27. NOEL
28. OSCAR
29. PABLO
30. PAULA
31. PETER
32. RENE
33. RITA
34. ROSE
35. SALLY
36. SAM
37. STAN
38. VICKY
39. WALTER
40. WANDA

```
M N S C D B L G M I N D Y J
D A T O H I Y S A L L Y U F
E E A D L A A K M A I A J L
O D N I D Y R N C A N E O O
E I N N O B E L A I R R S Y
L R A E I S L V E B V I E D
J W S S O S E R R Y T N A A
P E I R I N S A E A M O M V
A E R W E L L C K T H A P I
U L H R A Z I S I P E F S D
L C C J Y L E O A R R P N N
A T I R Z G T B M A I M O A
H U G O H E L E N E Q S E V
Q A E C Y O J E R K A R L I
```

16. FONDNESS

15. FERVENT

14. ENAMOR

13. EMBRACE

12. DEVOTION

11. DESIRE

10. DEAR

9. COURT

8. CLOSE

7. CHERISH

6. CHEMISTRY

5. CARE

4. BEWITCH

3. BEAU

2. ATTRACT

1. ARDENT

30. YEARNING

29. WOO

28. UNION

27. TOGETHERNESS

26. TENDER

25. SUIT

24. SHARE

23. PET

22. NESTLE

21. MARRIAGE

20. KISS

19. INTRIGUE

18. HUG

17. HEART

PUZZLE 65 — LOVE STORY

```
S R T O G E T H E R N E S S
I H O V T E Y R E D N E T S
N C A M R M M T I R L B S E
T T K R A H N B C U A D D N
R I I S E N S E R A E C E D
I W S U H N E I S A R P V N
G E S M S C O U R T C T O O
U B B T P U T Q K E L E T F
E A R T N E V R E F H E I A
C Y E I P E R I S E D C O B
U L O B H P D N D V Z P N J
N N O U Y E A R N I N G F Y
W O G S S J E G A I R R A M
W K C H E M I S T R Y B W R
```

PUZZLE 66   TURTLE TALK

1. ARMOR
2. BEAK
3. BOX
4. CLUTCH
5. EGGS
6. ENDANGERED
7. GREEN
8. HIBERNATE
9. LAND
10. LEATHERBACK
11. MARINE
12. MARSH
13. MUSK
14. PAINTED
15. PLASTRON
16. POND
17. POWERFUL JAWS
18. REPTILE
19. SCALES
20. SCUTES
21. SEASHORE
22. SEA TURTLE
23. SHELL
24. SIDE-NECKED
25. SLOW
26. SWIM
27. TAIL
28. TERRAPIN
29. TORTOISE

```
V N V E S N T E R R A P I N
Z J D E K C E N E D I S M K
P M H T P H U D E T N I A P
O A D I A L S T Y U W E D L
W R S E B I A L E S B Z R E
E I E G R E L S O S B O R A
R N A L G E R A T W M O H T
F E T H H E G N K R H S X H
U L U S S S C N A S O I V E
L I R P C R E L A T U N A R
J T T A O E A E U D E M V B
A P L P R N S M Z T N A Z A
W E E G D W D I I O C E Y C
S R E T O R T O I S E H L K
```

PUZZLE 67   SPONGES

1. ANIMAL
2. BROWN
3. BUDDING
4. ENCRUSTING
5. FLAGELLA
6. FLUORESCENT
7. FRESHWATER
8. GEMMULES
9. GLASS
10. GRAY
11. LAKES
12. LARVA
13. LIMESTONE
14. MARINE
15. ORANGE
16. OSCULUM
17. OSTIA
18. PORES
19. PORIFERA
20. PURPLE
21. RED
22. RIVERS
23. SESSILE
24. SILICA
25. SPONGIN
26. SULFUR
27. SYCON
28. TUBE
29. YELLOW

```
R Z R E L I S S E S A W Z G
E G N A R O I P N M L P F N
T O S C U L U M W S L W L I
A R E F I R O P O R E S U T
W L F C P Y S K R G G R O S
H J A L A E E N B E A I R U
S M E R K F S L O S L V E R
E A G A B S S E L C F E S C
R R L J T U S J L O Y R C N
F I R U L O D A L U W S E E
Q N B F K E S D L A M I N A
B E U Y R L N T I G R M T J
M R J S P O N G I N F V E F
L I M E S T O N E A G P A G
```

PUZZLE 68 — 500 EUCHRE

1. ACES
2. ALTERNATE
3. BATCHES
4. BIDS
5. BOWER
6. CUTS
7. DEALS
8. DISCARD
9. DRAWING
10. EXTRA
11. FAIL
12. FIVES
13. FOURS
14. GAME
15. HEARTS
16. LEADS
17. LEFT
18. MINIMUM
19. MINUS
20. OFFENDER
21. OVERCALL
22. PASS
23. RANK
24. ROUND
25. SHOW
26. SHUFFLE
27. SITS OUT
28. SIXES
29. SIXTY
30. SPADES
31. SUITS
32. TABLES
33. TENS
34. TURNS
35. WIDOW

```
B A T C H E S T I U S L O S
S P A D E S W W T X E S I R
S D I B E Q L I F A U T M E
E C G X B B U I D N S U O D
L W I N E R V S I O M C V N
B S O X I E Y M U I W A E E
A D T H S W C T N D E Z R F
T R T E S O A I X F E M C F
A A F U T B M R H I A A A O
K C O O R F D S D E S I L G
Y S U L P N E O T K A L L S
A I R A U C S L Y E N R A O
A D S O A A L T E R N A T E
C S R E L F F U H S U S R S
```

SWITCH PLAYERS

1. ACE
2. AGENT
3. BASEBALL
4. BONUS
5. CASH
6. COACH
7. CONTRACT
8. COSTS
9. GAME
10. LAND
11. MAJORS
12. MANAGER
13. MEET
14. MINORS
15. NEGOTIATE
16. NEWS
17. NUMBERS
18. OPTION
19. PAPERS
20. PAST
21. PAY
22. PICKS
23. PLAYER
24. POSITION
25. PRICE
26. SALARY
27. SESSION
28. SIGNED
29. STARS
30. SWAP
31. TALENT
32. TEAM
33. TERMS
34. TIME
35. TRADE
36. YEAR

```
P O S I T I O N U M B E R S
P S O P A N E G O T I A T E
T L H S A C G M S Y R C S P
T E A M R W E Q A A N O A I
C A R Y S O S P E N L E P C
O W G M E R N Y S S A A W K
A B V D S R O I T I R G R S
C A Z H N Y G J M N G A E Y
H S R E P A P C A G E N T R
E E E W M B L T I M E L E S
D B C E E O Y C O S T S A D
A A I C O N T R A C T E Z T
R L R L W U O P T I O N E L
T L P S E S S I O N L J I M
```

PUZZLE 70 — DOG SHOW

1. BARK
2. BREED
3. CHAMPION
4. CLASS
5. COLLIE
6. DOGS
7. ENTRY
8. HOUND
9. HUNTER
10. JUDGE
11. KENNEL
12. KOMONDOR
13. LEASH
14. LHASA APSO
15. LINE
16. MASTIFF
17. OBEDIENCE
18. PAPERS
19. PARADE
20. PEDIGREE
21. PET
22. POINTER
23. POODLE
24. POSE
25. PRIZE
26. REGISTER
27. SETTER
28. SIT
29. TAIL
30. TOY
31. TRAINER
32. TREAT
33. TRIAL
34. WINNER

```
H F S T R A I N E R W S E K
W O T K P H S A E L S E R E
C C U E I L Y N T A R A N I
O H M N P A N A L G B T S E
S A A N D I E C I I R L G E
P M S E W R P D P Y A D O C
A P T L T T E O O A U T D N
A I I D C P N T I J R E T E
S O F O E O I R J N P A H I
A N F O C I L K E O T U D D
H P A P E R S L S T N E E E
L A U P R I Z E I T T E R B
K O M O N D O R E E R E Z O
R E G I S T E R Z B W F S F
```

1. ALERT
2. ANIMALS
3. AREA
4. BADGE
5. CAREER
6. FIRE
7. FOREST
8. GAME
9. GUARD
10. HELP
11. JOBS
12. LAKES
13. LEARN
14. MANAGE
15. PARKS
16. PATROL
17. PLANES
18. RADIO
19. RANGERS
20. RESCUE
21. RULES
22. SERVICE
23. SKIS
24. SPOTTER
25. STATION
26. SUMMER
27. SYSTEM
28. TESTS
29. TICKET
30. TOWERS
31. UNIFORM
32. WATCH
33. WOODLANDS

```
S R E G N A R P D S U G E S
I R U L E S T R L B R D O P
T R H M T I A A E A A A K O
O R A S C U M S D M N D R T
W G E K G I E I F D M E G T
E T E L N S O G U O S U S E
R T N A A S D N A C R Y S R
S E M O S O I N U N F E I P
S F C K I F C E A H A L S A
W Y I I O T P L L L E M K T
A S S R V X A A D A D L J R
T V M T E R P T R J K O P O
C A R E E R E N S K B E O L
H P S A P M K S U S S G S W
```

1. ANGLES
2. BANK
3. BREAK
4. BRIDGE
5. COLORS
6. CUES
7. CUSHION
8. GAMES
9. GREEN
10. GRIP
11. HALL
12. KISS
13. NUMBERS
14. PARLOR
15. POCKETS
16. RACK
17. RAILS
18. ROTATION
19. RULES
20. SCATTER
21. SCORE
22. SCRATCH
23. SHARK
24. SHOT
25. SINK
26. SLATE
27. SLICE
28. SNOOKER
29. SOFT
30. SPIN
31. STEADY
32. STRIPES
33. TABLES
34. TRAP
35. TRICKS

```
S E L G N A R S E S L I A R
E S T E A D Y E T R E L Q C
B G E L L P S N T E O M A A
Y R D C Z X A L U T K C A H
G T E I R K R R A M A C S G
T F I A R O U B T T B C O T
R O I A K B L S Y S E E S P
E S H E T E E R S J I I R G
K S S S S U S I A G N N R S
O J L M C G K S J P I I K K
O R I K C N S T R I P E S C
N R C K A M N O I H S U C I
S A E B E R O T A T I O N R
R C O L O R S C R A T C H T
```

1. ACCURATE
2. ANTIQUE
3. CARVED
4. CASE
5. CHAIN
6. CHIME
7. CRAFTED
8. ECHO
9. FACE
10. FRONT
11. GEAR
12. GONG
13. HANDS
14. HOUR
15. MECHANISM
16. MOTION
17. MOVEMENT
18. NOISE
19. NOTES
20. OLDEN
21. ORNATE
22. PARTS
23. PENDULUM
24. RING
25. SIDES
26. SMOOTH
27. STANDING
28. STRIKE
29. STYLISH
30. SWAY
31. SWING
32. TALL
33. TIME
34. TONE
35. TUNE
36. WEIGHTS
37. WOOD

```
N H R Q M S I N A H C E M V
E M I H C H I C R A F T E D
G H O G C A T S W A Y T M N
E S N T H A N O N C A T O G
A I E C I E R T O R I I V N
R L C E D O I V U M S P E I
G Y H L N Q N C E E S E M D
N T O O U J C T K D T N E N
I S T E G A N I S A Y D N A
W E S E T O R D N E V U T T
S A C A R T N R W N R L L S
C A L F S A O G S O T U N E
F L S T H G I E W T O M O X
D P A R T S E D I S Q D X H
```

PUZZLE 74	NOVA SCOTIA

1. ACADIA
2. BAY OF FUNDY
3. BRAS D'OR
4. CANADA
5. CAPE BRETON
6. CITADEL
7. CLIFFS
8. COAL
9. COAST
10. COD
11. COVES
12. DEER
13. EVANGELINE
14. GLACE BAY
15. HALIFAX
16. HILLS
17. LOBSTER
18. MARINE DRIVE
19. MINAS BASIN
20. MINING
21. PENINSULA
22. PROVINCE
23. SABLE ISLAND
24. SALT
25. SHORES
26. TIDE

```
Z I J M A R I N E D R I V E
G L A C E B A Y C D Z G N V
D G S E E O N D G O I Y O A
P N D B C C N A B D T T N
E I A T N L N B N N W U E G
N N T L I I R I U P A P R E
I I I F S A S F V C O C B L
N M F S S I F A A O H J E I
S S F D L O E I B A R D P N
U E O H Y L D L L S A P A E
L R V A A A I I B T A D C S
A O B O C F F H I A B N A X
A H C A C A J C W K S L I J
Y S J F X R L O B S T E R M
```

PUZZLE 75 ✕ DESK WORK

1. CALENDAR
2. CHAIR
3. COMPUTER
4. DRAWERS
5. ERASER
6. FILES
7. HOMEWORK
8. INDEX CARDS
9. INFORMATION
10. KEYBOARD
11. KEYS
12. LAMP
13. LOCK
14. MAIL
15. MARKERS
16. MEMOS
17. OFFICE
18. PAPERS
19. PENCILS
20. PENS
21. PHONE
22. RECEPTIONIST
23. REGISTRATION
24. RULER
25. SCHOOL
26. SERVICE
27. STAMPS
28. STAPLER

```
C K C R E L P A T S Y E K O
R O C I N D E X C A R D S N
E E M O N N I D Z M I L O O
G M L P L O O H C S I I F K
I A C U U V S S R C T F R U
S R L E R T E O N A I O D P
T K A R A R E E M C W R H C
R E M M V P P R E E A S Q A
A R P I E G O R M W M R U L
T S C N I F A O E C P E X E
I E S M N S H R H T H P Q N
O L A I E C S H M J O A W D
N I D R A O B Y E K N P I A
L F T S I N O I T P E C E R
```

PUZZLE 76

CULINARY ART

1. BAKE
2. BARBECUE
3. BASTE
4. BLANCH
5. BLEND
6. BRAISE
7. CODDLE
8. CREAM
9. CUBE
10. DEEP-FRY
11. DICE
12. DISSOLVE
13. DREDGE
14. FILLET
15. FLAKE
16. FOLD
17. GARNISH
18. HASH
19. KNEAD
20. MARINATE
21. MINCE
22. MIX
23. PARBOIL
24. POUND
25. PUREE
26. ROAST
27. SEAR
28. SIMMER
29. STEEP
30. STIFFEN
31. STIR-FRY

```
H D V P H S E X U X P X E D
Q C E S O S T I F F E N I T
E K N E F U A I Q I Z C L M
E P C A P C N H R I E I B F
E P D R L F I D G F O X O I
R T B H I B R B A B R L Y C
U H S L D E A Y R E D Y E Y
P F L A M R M A N C R Y L E
R E E M B O P E I N E K V K
T N I E V L O S S I D M S A
K S C U B E B I H M G T O L
L U T S A O R A C R E A M F
E L D D O C U R K E O U K D
W X L D N E L B P E I V S C
```

1. AEOLIA
2. AMMON
3. ARAM
4. ASSYRIA
5. BABYLONIA
6. CASTILE
7. CUSH
8. DACIA
9. DORIS
10. EDOM
11. ELAM
12. ESSEX
13. ETRURIA
14. GALATIA
15. GANA
16. GAUL
17. IBERIA
18. LEON
19. LYDIA
20. MEDIA
21. MOAB
22. MOESIA
23. MURCIA
24. MYSIA
25. NUBIA
26. NUMIDIA
27. PHOENICIA
28. PISIDIA
29. SAMNIUM
30. SHEBA
31. SHINAR
32. SUSSEX
33. THRACE
34. TREBIZOND

```
M L P A C A I N O L Y B A B
K Y R U A I T A L A G I E P
M A S I R O D U I N C P S I
M H I I Q M A R O R P H S S
U S Q R A G U E U U N O E I
I H D L E R L M D M O E X D
N I E C T B B N O O M N E I
M N R E A L I E U M M I S A
A A I R Y S S A E B A C S B
S R F D F I T D I C I I U E
T F I Q A G I I B L A A S H
D A C I A A A E L A O R X S
T R E B I Z O N D E O E H I
A I D I M U N T A M V M A T
```

1. ACUTE ANGLE
2. AREA
3. AXIS
4. BISECT
5. CIRCLE
6. CONE
7. CUBE
8. CURVE
9. CUSP
10. CYLINDER
11. DEGREES
12. DIAMETER
13. DISK
14. ELLIPSE
15. HELIX
16. LENGTH
17. LINE SEGMENT
18. OBTUSE ANGLE
19. POINT
20. POLYGON
21. PRISM
22. PYRAMID
23. RADIUS
24. SHAPES
25. SIDES
26. SIZE
27. SPHERE
28. TRIANGLE
29. VOLUME
30. WIDTH

```
T R I A N G L E C U R V E C
A P E Q N O T R W S O R O S
M R O E C D G I A L I N R E
A H B I N Y D Y U D E X L L
J U T S N T L M L R I L A G
C D U G H T E I E O I U K N
D I S K N A P H N P P K S A
I A E H H E P D S D B A E E
M M A P E S L E E I E L D T
A E N P S L N Z S G C R I U
R T G R G U I E C R R K S C
Y E L I K S C X I A I E F A
P R E S V T K C T E P H E S
T N E M G E S E N I L M K S
```

PUZZLE 79 — DECLARATION SIGNERS

1. ADAMS
2. BRAXTON
3. CARROLL
4. CHASE
5. FLOYD
6. FRANKLIN
7. GERRY
8. HALL
9. HANCOCK
10. HARRISON
11. HART
12. HEWES
13. HOPKINSON
14. HUNTINGTON
15. LEE
16. LEWIS
17. LIVINGSTON
18. MORTON
19. PACA
20. PAINE
21. PENN
22. READ
23. ROSS
24. RUSH
25. SMITH
26. STOCKTON
27. STONE
28. THORNTON
29. WHIPPLE

```
W O P P Q L S M I T H E S L
U H S Y E N O T S S R S P H
L R I E R N T O I E O A W O
P I U P W R N W A R I H H P
N A V S P E E D U N A C R K
N O A I H L H G E R R W N I
S I T S N A E B R A X T O N
L K L N T G N I H V O N T S
L F V K R O S C R R V N R O
O L E X N O C T O L Q X O N
R O J K N A H K O C L K M U
R Y C A N Q R T T N K L R U
A D A M S X T F G O A C A P
C H U N T I N G T O N U J H
```

1. AXES
2. BELT
3. BINOCULARS
4. BOOTS
5. BOWS
6. CANOE
7. CANTEEN
8. DENIMS
9. DINGHY
10. FLASHLIGHT
11. HOOKS
12. KNIFE
13. LAMP
14. LANTERN
15. LINER
16. LURES
17. MATTRESS

18. NETS
19. PACKS
20. PADDLE
21. PANTS
22. PARKA
23. POUCH
24. REELS
25. SATCHEL
26. SCISSORS
27. STOVE
28. TENT
29. TRAPS
30. VEST
31. WADERS

```
N E E T N A C L I N E R Z R
E S F X D C P Q M O J O C S
T K I S E C T A N T N E T P
S C N R D W A D E R S M C
I A K D C A C D Y D M A S M
L P T H G I L H S A L F P M
X U V C H R G U T S X E B S
F X R B H N E T C R L E T T
J A M E I E R E H O A S S V
S R H D S E L C L S N M E X
Q W O T S E U J T S T I V N
E O O S T O O B Y I E N B U
H V K B P A R K A C R E A T
E X S N M T L E B S N D G P
```

1. AGENT
2. ARREST
3. CAPTURE
4. CASE
5. CLUE
6. CRIME
7. DATA
8. DIRECTOR
9. ENFORCE
10. EVIDENCE
11. FILE
12. FUGITIVE
13. INTERSTATE
14. INVESTIGATE
15. LAB
16. OUTLAW
17. POSTER
18. PURSUIT
19. RECORDS
20. REPORT
21. SECURITY
22. SOLUTION
23. TECHNICIAN
24. TRACE
25. TRAIL
26. TRAINING
27. UNDERCOVER

```
E W C Q E T A T S R E T N I
R N T D L L R Y T D Q E M A
U S F E X E T O I R M S T T
T X C O C I S R P I A A D P
P U N O R H E O R E D C F U
A N R U L C N C L G R U E R
C D C I T E E I N U G W R S
S E A O L N V I C I T X T U
S R R I P P N I T I C I V I
T C F M O I Y I D S A L O T
X O L S A H V H B E E N U N
H V T R J E J A E D N R D E
N E T O U T L A W R W C R G
R R I N V E S T I G A T E A
```

PUZZLE 82 ✕ IN "CARMINA BURANA"

1. ACTEON
2. ADONIS
3. AENEAS
4. AMALRICH
5. AMOR
6. APOLLO
7. APRIL
8. AURORA
9. CATO
10. CODRUS
11. CORONIS
12. CUPID
13. CYTHEREA
14. DECIUS
15. DIDO
16. DIONE
17. EROS
18. FLORA
19. FORTUNA
20. GANYMEDE
21. GETA
22. HECUBA
23. HELEN
24. JEROME
25. JOVE
26. JUNO
27. LEAH
28. MINERVA
29. OVID
30. PARIS
31. PETER
32. RACHEL
33. SILENUS
34. SIMON
35. THISBE
36. VENUS
37. VULCAN

```
S A N T C A A E N E A S D C
I U R O M A P E O O D I D Y
N R N U M E J O V V S N H T
O O S E T I T E L O I O C H
R R I E V A S T R L J D I E
O A R U C C H E J O O A R R
C S A H U I H D A U M Z L E
N U P P S A E V A H N E A A
A R I B E C R C A D E O M T
C D E L I E T A P R I L A E
L O S U N E L I S G O O E G
U C S I O A R A C H E L N N
V V M N E D E M Y N A G F E
F O R T U N A B U C E H W N
```

PUZZLE 83 ✕ HOW'S THE WEATHER?

1. BLAST
2. BLUSTER
3. CLOUD
4. COLD
5. DARK
6. DISTURBANCE
7. DRIZZLE
8. DUST
9. EDDY
10. ELECTRIC
11. FOEHN
12. FRONT
13. FROST
14. GALE
15. GLARE
16. HOT AND DRY
17. ICED
18. LIGHTNING
19. NIPPY
20. NOISY
21. NOR'WESTER
22. OVERCAST
23. SNOW
24. STICKY
25. SUNLIT
26. SUNNY
27. TROUGH
28. VAPOR
29. WARM
30. WINDY
31. ZEPHYR
32. ZERO

```
L Y R D D N A T O H E R I S
N I G O V W Y N N U S C N E
O A G A P H A D R F R O S T
R O W H G A Y R N Y W S O S
W V R U T P V N M I H O E A
E E O E P N H E O F W P L L
S R R I T Y I R L I L I E B
T C N A K S Y N Y A S E C Z
E A H C L O U D G D G Y T K
R S I T K G D L U Z F D R H
I T A A I E B S B R E A I M
S S U N L I T P O C D R C M
D R I Z Z L E N I O D L O C
C A Q D I S T U R B A N C E
```

PUZZLE 84 THE FAR NORTH

1. ALASKA
2. ALEUTS
3. ARTISTS
4. BAFFIN BAY
5. BEAR
6. BIRDS
7. CARIBOU
8. CEREMONIES
9. COLD
10. DOGS
11. DRESS
12. FIRE
13. FLOAT
14. FUEL
15. GLACIER
16. HARDY
17. HARPOON
18. ICE FLOES
19. IGLOO
20. MALAMUTE
21. OILS
22. PERMAFROST
23. REGION
24. SEAL
25. SEAS
26. SETTLEMENT
27. SIBERIA
28. SLED
29. SNOW
30. TEAMS
31. TIMBER
32. WALRUS
33. WHALE

```
D T I M B E R E I C A L G S
A O S E I N O M E R E C I W
R I G L N O O P R A H B O I
T M C S E T T L E M E N T E
I P A E D D Q W Y R S A Y C
S E R L F R E B I G O D O B
T R I A A L I A E L R L O A
S M B H S M O B F A D H L F
U A O W L M U E H S R X G F
R F U Q P O A T S A A L I I
L R E G I O N E E K S E I N
A O A L E U T S T E R U S B
W S S A L A S K A I J F N A
V T S S E R D L F L H Q G Y
```

IN THE HOBBY SHOP

1. ALBUMS
2. BASKET
3. BATTING
4. BEADS
5. BRUSHES
6. BUNTING
7. CANVAS
8. CEMENT
9. CORD
10. EPOXY
11. FRINGE
12. GESSO
13. GLUE STICK
14. JUTE
15. KITS
16. MUSLIN
17. PAINT
18. PAPER
19. PATTERNS
20. PENS
21. RAFFIA
22. RINGS
23. ROPE
24. SEQUINS
25. STAIN
26. STONES
27. STRING
28. TASSELS
29. TESSERAE
30. THIMBLE
31. TILES
32. TURPENTINE
33. TWINE

```
P C B R U S H E S G N I R Q
A D A B U N T I N G T C B G
T E G N I R F X Z I E E N E
T E S E V N P N L M A I P G
E T N O B A I E E D R O C L
R E E I P A S N S T R C E U
N K P E T S T L S R I L I E
S S R S T N E T A L B U M S
Q A E O G S E F I M Y Z E T
O B N Q S P F P I N J E P I
S E Q A U I A H R U G N O C
S H T O A I T I T U N I X K
E M U S L I N E N O T W Y R
G A E A R E S S E T S T I K
```

PUZZLE 86 / LAWNS

1. AERATION
2. CLIPPINGS
3. COMPOST
4. CRAB GRASS
5. EROSION
6. FAIRY RING
7. GROUND
8. HEALTHY
9. HERBICIDES
10. INSECTICIDES
11. LEAVES
12. LIME
13. MOSS
14. MULCH
15. ORGANIC
16. PESTICIDES
17. POWDERY MILDEW
18. ROOTS
19. SEASONS
20. SOIL
21. THATCH
22. TURF
23. WEEDS

```
B P O M Y D E H C T A H T P
W E E D S R C I E S C S V O
X P D S O H N A E X E O F W
R X O S T A E D M V Y R X D
Z M I A G I I A A K U Z F E
A O R R C C C E L T O M A R
N E O G I O L I L T J H I Y
M Y R B S R M I D I H J R M
M U R A O E O P P E Y Y Y I
P E L R T S A O O P S P R L
H H X C E I B S T S I I I D
S L X Z H Z O Y O S T N N E
C K Z G R O U N D N H Y G W
P S E D I C I T C E S N I S
```

DOODLE BUG

1. ABSTRACT
2. BOREDOM
3. BOXES
4. CIRCLES
5. CURLS
6. DESIGN
7. DISTRACTION
8. DOODLE
9. DOTS
10. DRAW
11. FREE FORM
12. FUN
13. HEARTS
14. IDEAS
15. "I HEART ..."
16. LINES
17. LOOPS
18. MARGINS
19. MINDLESS
20. NAMES
21. NOTES
22. PATTERNS
23. PLAY
24. SHADING
25. SHAPES
26. SKETCH
27. SQUIGGLES
28. STARS
29. WORDS
30. ZIGZAGS

```
S P L D I S T R A C T I O N
H A L T R A E H I D N Z U H
T S H A P E S Q E O F F E T
L S T E Y S G S Z R H A E C
S S E L D N I M E S R B L A
P B J R I G S E S T E P D R
O P O D N N F E S L O X O T
O W A X I O L M Z E R N O S
L H K G R G O I S H M U D B
S L R M G D G K C A V A C A
S A D I E Z R T I S E V N I
M T U R A S E N I L N D W D
F Q O G A K Q S E L C R I C
S B S D S W S N R E T T A P
```

PUZZLE 88 — SWEET SURPRISE

1. BRITTLE
2. BUTTERSCOTCH
3. CAKE
4. CANDY
5. COOKIE
6. ECLAIR
7. FRITTER
8. FRUIT
9. FUDGE
10. GELATIN
11. HONEY
12. ICE CREAM
13. JAM
14. JELL-O
15. KISSES
16. MALT
17. MILK SHAKE
18. MINT
19. MOUSSE
20. NAPOLEON
21. PARFAIT
22. PASTRY
23. PATTY
24. PIE
25. POPCORN
26. PUDDING
27. SMOOTHIE
28. STRUDEL
29. SUNDAE
30. SYRUP
31. TART

```
N O E L O P A N P T F O Y K
R T I A F R A P B R L R J I
O I R Y F H H V U L T A F S
C R A A E Q C I E S M R M S
P C I L T N T J A Z I S Y E
O D O C C Y O P U T T D M S
P A Y O E E C H T R N C I M
E U K F K C S E U A I E L O
L K R U Y I R D C M T A K O
T F A Y K T E E I A A D S T
T U J C S L T N A W L N H H
I D P U F X T A I M E U A I
R G N I D D U P P Z G S K E
B E O Y E J B M O U S S E I
```

FILMMAKING

1. ACTRESS
2. ANGLE
3. CAMEO
4. CAMERA
5. CAST
6. CLIP
7. CLOSEUP
8. CREW
9. DAILIES
10. DANCE
11. DIALOGUE
12. EDITOR
13. EXTRAS
14. FOOTAGE
15. LEAD
16. LIGHTS
17. LINES
18. LOCATION
19. MAKEUP
20. MOVIE
21. MUSIC
22. PART
23. PLOT
24. PRINT
25. PROPS
26. ROLE
27. RUSHES
28. SCENE
29. SCORE
30. SCRIPT
31. SET
32. SHOOT
33. STAR
34. TAKE
35. ZOOM

```
D N C O J T P I R C S D E C
A O I D E Z S A D P M L L M
I I S N O M T I T O G I I A
L T U O E S A P L N P M G K
I A M I P L S C A E Q C H E
E C V E O R H L K R A L T U
S O E G D N O O I S T D S P
M L U N M I O P T N A R A U
L E C R E Y T P S R E U R E
P B F R Y C R O E F G S T S
R L O R E I S M R J T H X O
I C O N N W A V T A K E E L
S L M T N C A C T R E S S C
E C R D A N C E G A T O O F
```

FARM LIFE

1. BARN
2. BUCKWHEAT
3. CARROTS
4. COMBINE
5. CORN
6. DUCKS
7. FIELDS
8. GEESE
9. GOATS
10. GRAIN
11. HARVEST
12. LAND
13. LARDER
14. LIVESTOCK
15. MILK
16. ORCHARD
17. PASTURE
18. PIGS
19. PLANTING
20. PLOW
21. POND
22. PUMPKINS
23. RYE
24. SEEDS
25. SHEEP
26. SILO
27. SOIL
28. SOW
29. STRAW
30. TILLER
31. TURKEYS
32. VEGETABLES

```
S E F K P P L A N T I N G S
H S I S L C G B K N B N G K
L E E N O I I Q W L I I E C
E E L Y W W M C M A P U R U
E G D D R W A D R R R T U D
L Z S T N R R G T D P T T T
I E G H R A B I T E U S S A
V K L O H C L A U R M E A E
E I T C A L S C R K P V P H
S S R N E T P E K N K R S W
T O R R L O S W E D I A H K
O O L I S P W H Y D N H E C
C C O M B I N E S O S O E U
K S E L B A T E G E V G P B
```

BLOCK THAT KICK!

1. BLITZ
2. BLOCK
3. CALL
4. CENTER
5. COACH
6. CONVERSION
7. DEFENSE
8. DOWNS
9. FANS
10. GAIN
11. GUARD
12. HALF
13. HELMET
14. INTERCEPT
15. LATERAL
16. LINE
17. OFFSIDE
18. ONSIDE

19. PASS
20. PLAY
21. PUNT
22. REFEREE
23. SACK
24. SCORE
25. SCRIMMAGE
26. SNAP
27. TACKLE
28. TEAM
29. THROW
30. TIGHT END
31. TOUCHDOWN
32. YARDS
33. ZONE

```
E E R E F E R C T P A C D Q
G R E T N E C H A Z O N E H
A P U N T N R N S A F S F B
M K T N I O S S C A C K E C
M N C I W L G H N B C H N S
I W O O G O U S L W E K S T
R E N T L H D I S L O A E P
C L V I S B T H M C P D L E
S K E D L Z T E C O O A A C
R C R M U L T D N U Y R R R
W A S V A G A S R D O H E E
Y T I Y A E I C J A A T T T
P N O I U D T A F L U J A N
D I N R E D I S F F O G L I
```

PUZZLE 92 ✕ VEGETABLE GARDEN

1. ASPARAGUS
2. BEANS
3. BEETS
4. BROCCOLI
5. CABBAGE
6. CARROT
7. CELERY
8. CHARD
9. CHICORY
10. CORN
11. CUCUMBER
12. GREENS
13. KALE
14. LETTUCE
15. ONION
16. PEAS
17. PUMPKIN
18. RADISH
19. RHUBARB
20. ROMAINE
21. RUTABAGA
22. SCALLIONS
23. SOYA
24. SPINACH
25. SUMMER SQUASH
26. TOMATO
27. TURNIP
28. YAMS

```
B G S C A L L I O N S A E P
J A G N U I L O C C O R B B
S P I N A C H E C U T T E L
O V B R A B U H R P V E C O
B T B N I K P M U P T E N A
K C A B B A G E B S L I C S
C R O M A G Y W S E O A T P
D C O R O G A O R N R N I A
U R H M N T A Y S R A N C R
P A A I A L X B O N R E F A
H D E H C I C T A U E Y B G
C I L Y C O N Q T T A E Z U
H S A U Q S R E M M U S R S
B H K O M V K Y S V F R P G
```

1. CHIP
2. CRUMB
3. DOLLOP
4. DRAM
5. DROP
6. FRACTION
7. FRAGMENT
8. HUNDREDTH
9. HUNK
10. INGREDIENT
11. LEFTOVER
12. MORSEL
13. PARTICLE
14. PIECE
15. PINCH
16. PORTION
17. RATION
18. REMNANT
19. SAMPLE
20. SECTION
21. SEGMENT
22. SHARE
23. SLICE
24. SNIPPET
25. SPECK
26. SPLINTER
27. SPOONFUL
28. SWATCH
29. TOUCH

```
T N E I D E R G N I X T S D
R E V O T F E L H D X U H F
K C E P S M T U T F P Y A H
D O L L O P N A M R I K R X
B M U R C D I T N A N M E R
I S S J R S L S K C C F W E
H E E E H R P E N T H D K L
L C D G G C S O N I N I D P
L T T D M L U E O O P H P M
H I R A I E M O I N I P A A
K O T C W G N T T K F R E S
P N E G A S R T A G D U A T
Y C U R R O P A R T I C L E
X T F H P I E C E E A J A R
```

PUZZLE 94 PODS FOR NATURE CRAFTS

1. ACACIA
2. AILANTHUS
3. ALDER
4. BURDOCK
5. BUTTONBUSH
6. CASTOR BEAN
7. CATALPA
8. IRIS
9. JIMSONWEED
10. LOCUST
11. LOTUS
12. MAGNOLIA
13. MALLOW
14. MAPLE
15. MILKWEED
16. MIMOSA
17. OKRA
18. POPPY
19. PRINCESS TREE
20. ROSE
21. SYCAMORE
22. TRUMPET VINE
23. TULIP TREE
24. WITCH HAZEL
25. YUCCA

```
P R I N C E S S T R E E X S
Q N A E B R O T S A C O Y T
P A P L A T A C S R J B Y O
J B W E M S N C E U J U M S
H Q I I N A Y D A T C A W U
S U T O L I L C U C G O M H
U M C K G A V L A N I R L T
B I H C Y P I T O M R A O N
N L H O I P O L E W O K V A
O K A D T Y I P L P R R S L
T W Z R I A R B P A M O E I
T E E U U R G P A Y M U S A
U E L B G F I S M I G T R E
B D E E W N O S M I J I R T
```

PUZZLE 95 — THE TACK ROOM

1. BITS
2. BLINKERS
3. BRIDLE
4. CHAPS
5. CINCH
6. COLLAR
7. CURRYCOMB
8. GEAR
9. GIRTH
10. GUNNYSACK
11. HALTER
12. HAME
13. HARNESS
14. HOBBLES
15. HOSE
16. LARIAT
17. LASSO
18. NAILS
19. NOSEBAND
20. RASP
21. RAWHIDE
22. REINS
23. ROPES
24. ROWELS
25. SADDLE
26. SHOES
27. SPURS
28. STIRRUP
29. STOOL
30. STRAPS
31. TOOLS
32. TRACES
33. YOKE

```
B N W C U R R Y C O M B M H
E K O Y E C Y A C O L L A R
M L C S S L I Q S D B L M D
A F D A E T D N Q P T V P C
H S H D S B R I C E R L H G
S E B O A Y A A R H I A I T
B N D C S S N N P B P R J O
L S I I G E E N D S T I P O
I A P E H S L O U H B A U L
N S A U R W L B H G I T R S
K R V S R F A I B S T S R E
E L O O T S S R A O S O I P
R H A R N E S S X N H Q T O
S L E W O R O T R A C E S R
```

PUZZLE 96   AUSTRALIAN LAKES

1. AMADEUS	20. FROME
2. ANNEAN	21. GAIRDNER
3. AUGUSTA	22. GEORGE
4. AULD	23. GIDGI
5. AUSTIN	24. GILES
6. BAKER	25. HOPE
7. BLANCHE	26. IFOULD
8. BRING	27. KADGO
9. BROWN	28. KING
10. BUCK	29. NITCHIE
11. BULLOO	30. TONGO
12. CARMODY	31. TORRENS
13. CARNEGIE	32. URANA
14. COHEN	33. WILLS
15. DARLOT	34. WYOLA
16. DORA	35. YARLE
17. DUNDAS	
18. EATON	
19. EYRE	

```
G D A R L O T B E I H B J E
I L B Q W A T S U G U A P M
L U L T Y A D R L L R O D O
E A A P O I E K L L H O E R
S B N M L K S O K C I L E F
A K C C A N O U O C R W A G
D A H B E D E H G A U Y N C
N D E R B E E I Y N B B N A
U G R R A N D U G E I B E R
D O O T A G B L S E Y K A M
T W O N I R Y B U Q N R N O
N N A N I T S U A O O R E D
K R E N D R I A G D F W A Y
U O G N O T E I H C T I N C
```

1. BAND
2. CHAPERON
3. CLASS
4. CLIQUES
5. CORSAGE
6. CRUSH
7. CURFEW
8. DANCING
9. DATE
10. ELEGANCE
11. FLOWERS
12. FORMAL
13. GALA
14. GOWNS
15. GYM
16. HOTEL
17. JUNE
18. JUNIORS

19. KING
20. LAUGHS
21. LIMO
22. LOVE
23. MUSIC
24. PHOTOS
25. PRIDE
26. PUNCH
27. QUEEN
28. SNACKS
29. SONGS
30. STREAMERS
31. TEENAGER
32. THEME
33. TUXEDO

```
S W V K B S D P H O T O S D
T W E C N A G E L E N S P A
R E G F T I N N T L A H L N
E V G E R S S D O L I A A C
A O S A N U S E C S G M W I
M L C A S R C T U X E D O N
E H C K O R S I N Q Z N K G
R K S I Q S O O S C I N U L
S G N U H P R C L U S L A J
G U E G R E P E T N M M C M
J E U I P C T U W H R K H G
N A D A H O J O N O E A Y N
L E H W H M G D F C L M Y I
M C T E E N A G E R H F E K
```

18. MATCH

17. HOLE

16. GREENS

15. GRASS

14. FORE

13. FLAG

12. FINAL

11. FANS

10. FAIRWAY

9. DRIVE

8. COURSE

7. CLUB

6. CADDIE

5. BUNKER

4. BEST

3. AUDIENCE

2. ANNUAL

1. ANNOUNCER

33. YARDAGE

32. WINNER

31. WIND

30. WATER

29. TRAP

28. TEE

27. SCORE

26. ROUGH

25. PUTT

24. PROS

23. PRIZE

22. PRESTIGE

21. PLAYER

20. PENALTY

19. MONEY

PUZZLE 98 × GOLF TOURNAMENTS

```
B K G B E E Q B E T R A P R
K B E U E L U R H U P G R E
A E U F R S O C N R K R E C
U L E N L F T H O Y E E S N
D T A T K A R U F T Z E T U
I E Z U M E G G A I U N I O
E S S B N H R W R E N S G N
N V O N E N C P G A V A E N
C C I R A G A A P J S R L A
E W O R P F D L D F D S P C
W C F T D R A A T D P N L Y
S R F I A Y E N O M I U I P
Y J D Y E S R U O C B E T W
F A I R W A Y T L A N E P T
```

PUZZLE 99 — CELTIC EUROPE

1. BARDS
2. BELGAE
3. BOAR
4. BRETON
5. CATTLE
6. CORNWALL
7. CULTURE
8. DEITIES
9. DRUIDS
10. FEARLESS
11. FEAST
12. FESTIVAL
13. FORTRESS
14. GAELIC
15. GODS
16. HELVETII
17. IRELAND
18. MANX
19. MEAD
20. MONK
21. PAGANS
22. PLUNDER
23. RITES
24. ROMANS
25. SCOTLAND
26. SEERS
27. SPEAR
28. TRIBES
29. TUNICS
30. WALES
31. WINE

```
O S R C F E S T I V A L K N
X A D L C C E R U T L U C P
G N O R I B A T S E T I R P
Q L A N A E D C F S K X S I
X O U M P B O O E I R N R N
B T O S M T R B I C A E O F
W G E E L T I T O G L T E M
R I A A R R E R A A E A A S
E D N E T V N P N R S C G D
D D S E L W G D B T N A L I
N S Q E A I A O J V A T E U
U A H L D R C L D H M T B R
L C L D E I T I E S O L R D
P X F E A R L E S S R E H F
```

PUZZLE 100 GET-TOGETHER

1. AFFAIR
2. BALL
3. BARBECUE
4. BASH
5. CELEBRATION
6. CLAMBAKE
7. COTILLION
8. DANCE
9. DINNER
10. EVENT
11. FEAST
12. FESTIVAL
13. FETE
14. GALA
15. HIGH TEA
16. JAUNT
17. JUBILEE
18. KLATSCH
19. MIXER
20. OUTING
21. PAGEANT
22. PROM
23. RECEPTION
24. ROAST
25. SALON
26. SHINDIG
27. SHOWER
28. SOCIAL
29. SOIREE
30. WEDDING

```
S K R G T D C B W N W G R C
Z T Q N I S T B O M N M P L
B N U N E N A I R I A F F A
U A N F E H L E D V S U E M
J E L V R L S D F R O H U B
R G E L I H E A E D C G C A
L A Q T O W J C B S I D E K
A P O W S U E G T D A C B E
V C E A B P M A N N L L R B
I R T I T N L I C I P Q A M
T M L I O K H E X F T R B G
S E O L T S A O R E E U O B
E N A E T H G I H K R T O M
F S I N O I T A R B E L E C
```

PUZZLE 101 — KEEP IT "UP"

1. AGAINST
2. BREAK
3. BRINGING
4. BUILD
5. COUNTRY
6. DATE
7. ENDED
8. HEAVE
9. HELD
10. HILL
11. HOLD
12. HOLSTER
13. KEEP
14. LAND
15. LIFT
16. MAKE
17. MOST
18. NORTH
19. REAR
20. RIGHT
21. RISING
22. ROAR
23. ROOTED
24. ROSE
25. ROUSE
26. SETS
27. SIDE
28. SIGN
29. STANDING
30. STREAM
31. STROKE
32. SURGE
33. SWEEP
34. SWELL
35. THRUST
36. TIGHT
37. TILT
38. TOWN
39. WARD

```
B S H O L D S L R K M A K E
R C T Q L W M M E L R Q T N
I O L E E J S E A F L L I D
N U H E S T P T R T A I G E
G N P L L E W S A N O I H D
I T I I A D H L D N G W T G
N R T F I L A E V R D I N S
G Y T H R U S T A E O I S U
E B U I L D H B E V S U N R
K H O L S T E R H I E O S G
O R O O T E D E R T W D R E
R F P S T R E A M X R A I Y
T H G I R R K K Z R A O R S
S A G A I N S T S O M Y N D
```

1. BATH
2. BED
3. BLANKET
4. BOOK
5. COMFORT
6. CREAM
7. DREAM
8. EASE
9. GOWN
10. LATE
11. LIGHTS OUT
12. MEDITATION
13. NIGHT
14. PAJAMAS
15. PILLOW
16. PRAYER
17. QUIET
18. READ

19. RELAX
20. REPOSE
21. REST
22. RITUAL
23. ROBE
24. SHADES
25. SHEET
26. SHOWER
27. SLEEP
28. SLIPPERS
29. STRETCH
30. TOOTHBRUSH
31. UNWIND
32. WATCH TV
33. YAWN

```
T G O W N O I T A T I D E M
E S A E E T U O S T H G I L
K H S U R B H T O O T G C D
N T R O F M O C Y B Q S I P
A H W R T K N R A L S H P N
L T C V T H C T A W H O A O
B W V T S E H J S Y E W J R
B O O K E R I L X A E E A E
R T N L S R E U U W T R M L
G D S D L E T P Q N E R A A
F R A E P I D S P Y W U S X
X E T G R B P A A I T I M N
R A E S O P E R H I L L N X
L M A E R C P D R S P S Q D
```

Answers

PUZZLE 1

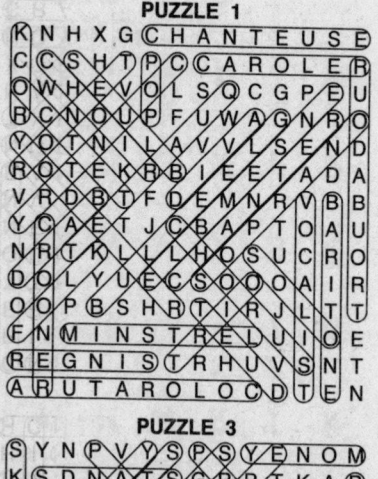

PUZZLE 2

PUZZLE 3

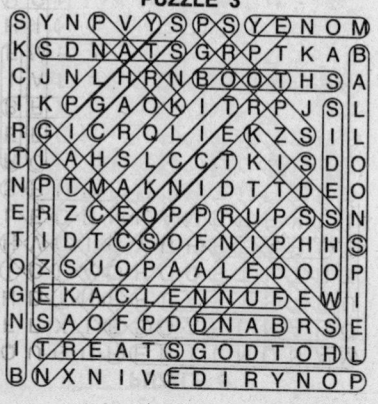

PUZZLE 4

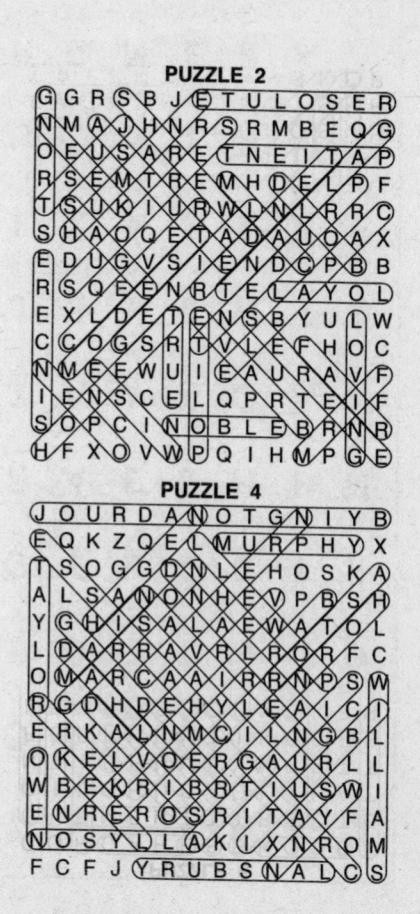

PUZZLE 5

PUZZLE 6

PUZZLE 7

PUZZLE 8

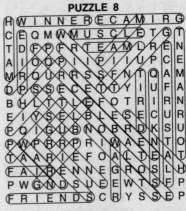

PUZZLE 9

PUZZLE 10

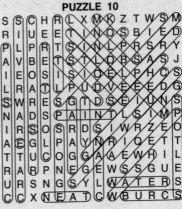

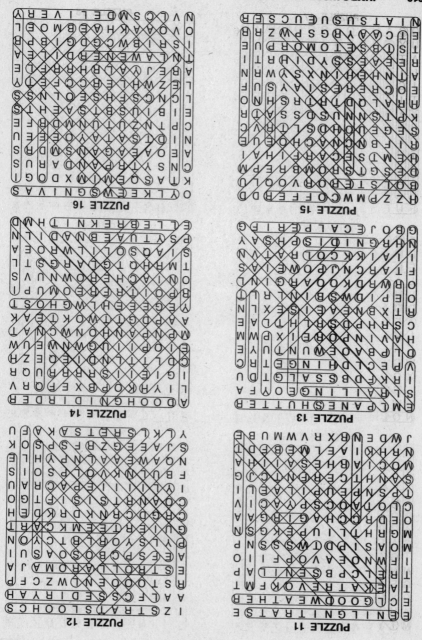

PUZZLE 11

PUZZLE 12

PUZZLE 13

PUZZLE 14

PUZZLE 15

PUZZLE 16

PUZZLE 17

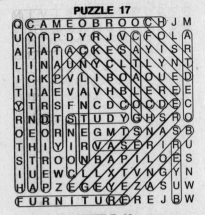

```
Q C A M E O B R O O C H J M
U A T I P D Y R J V C F O L A
A T A T A C K E S A Y I S R
L I N A U N Y C L T L Y N T
I C K P V L I B O A O U E D
T I A E V A V H B L E R E E
Y T R S F N C D C O C D E C
R O T S T U D Y G H S R O
O E O R N E G M T S N A S B
S H I Y I R V A S E R I R U
I T R O O N B A P I L O E S
H U E W C L L X T V N G Y N
A P Z E G E V E Z A S U W
F U R N I T U R E R E J B W
```

PUZZLE 18

```
T Y N O T O N O M H O Q W X
T H T O O T K L F P C H S E
P O G B I P A C T A M T T O
V D Y I P D N B E Q S A A T
R O Y S L E A B O N L T C W
A L W O W C K R O P H A S M
N L U S K T N C O N R G I R
K A T C I Z W O O T E R G E
S R I B E G D O N L R A C C
T E A G P E L O D O D A W O
R H G E T K C A R N P A W R
I S A A N L E A S E I Q E D
D C D A N I H C C S R W C D
E F B C O M M A N D M E N T
```

PUZZLE 19

```
F C S A P P H I R E B B G G
D M A P G R S P X A E L A F
E N I R T I C E R Y E R E J
L A I E N E G A T A N N S
M N D C R E C R M E I O O P
O O A I M S L U T H R T I N
A E F O A J O I S G A C S E
L M Z U I M E P A H M A E L
F A E S S D O W A N A R I K
W C I T A R U N E L U F I R
X Q U J H A E Y D L Q E H A
L C X R R Y V B R L A B R P
C W I O L G S V M E O G Q P
N O C R I Z X T Q A B G F S
```

PUZZLE 20

```
X R E V A E B Q R A B B I T
O A L E U N D E R B R U S H
W D A L E C I W V K W S S H
L E D C O R C C N O E U T P
S C P Y O N T U R X H A W M
D T B P E R K C O E P W I W
L S C V G S N F T X E N G E
E P A E P A T S T N K K S N
R B Y S S I M J E N Z U E S
R U B J M N N A R V O L P H
I C V B H O I E P M A R V G U
U E E M H S F G S L I C I U
Q R P O R C U P I N E M S O
S B U C B R E B G E I Q B B
```

PUZZLE 21

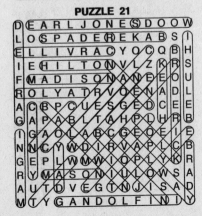

```
D E A R L J O N E S D O O W
L O S P A D E R E K A B S I
E L L I V R A C Y O C Q B H
I E H I L T O N V L Z K R S
F M A D I S O N A N D E O U
R O L Y A T R V O E N A D L
A C B P C U E S G E D C E E
G A P A B L T A H P L H R B
I G A O L A B C G E O E I E
N N C Y W D I R V A P L C B
G E P L W W W I O P L Y K R
R A Y M A S O N I U L O W S A
A U T O V E G T N J I S A D
M T Y G A N D O L F I N I Y
```

PUZZLE 22

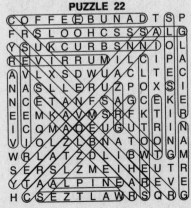

```
C O F F E E B U N A D T S P
F R S L O O H C S S A L G
Y S U K C U R B S N N I O A
R E V I R R U M I L C I T C
A V L X S D W U A C L T E I
N A C S L L E R U Z P O X S E
N C E T A N F S A G C E T R
E E M K A V M S R F K I N
I C O M A O E U G U T R I A
I J O L Z L B N A T O O M
W R L A T Z D L I B W T G E
S E R S L Z M E I H E U T R
Y T A A L P I N E A R E V E
H C S E Z T L A W R S Q B G
```

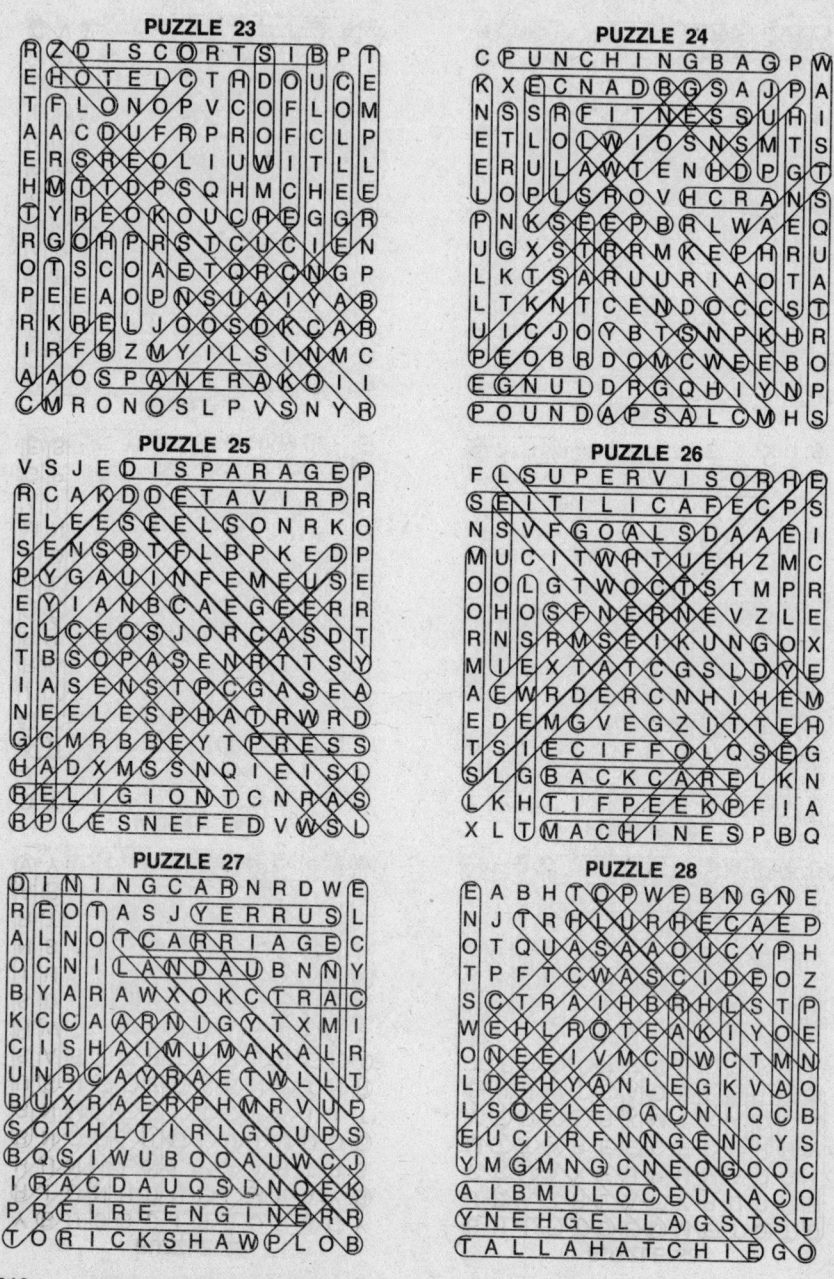

PUZZLE 23

PUZZLE 24

PUZZLE 25

PUZZLE 26

PUZZLE 27

PUZZLE 28

PUZZLE 29

PUZZLE 30

PUZZLE 31

PUZZLE 32

PUZZLE 33

PUZZLE 34

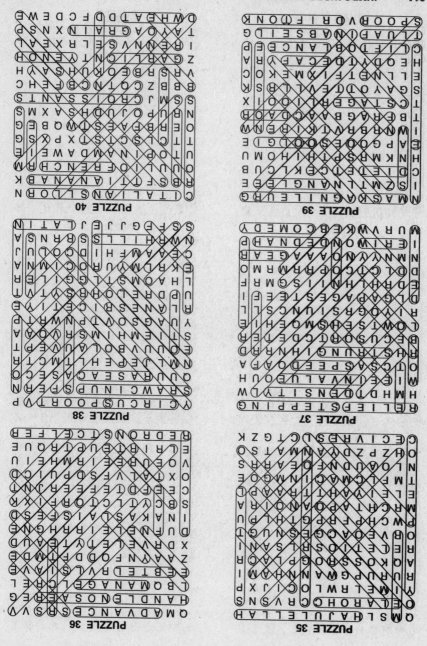

PUZZLE 40

PUZZLE 39

PUZZLE 38

PUZZLE 37

PUZZLE 36

PUZZLE 35

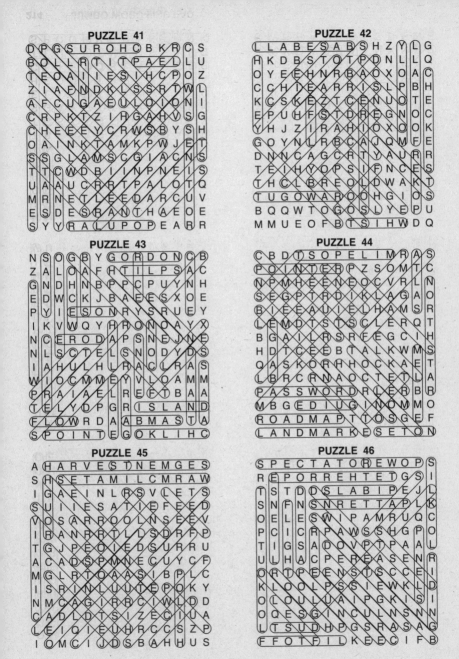

PUZZLE 41

PUZZLE 42

PUZZLE 43

PUZZLE 44

PUZZLE 45

PUZZLE 46

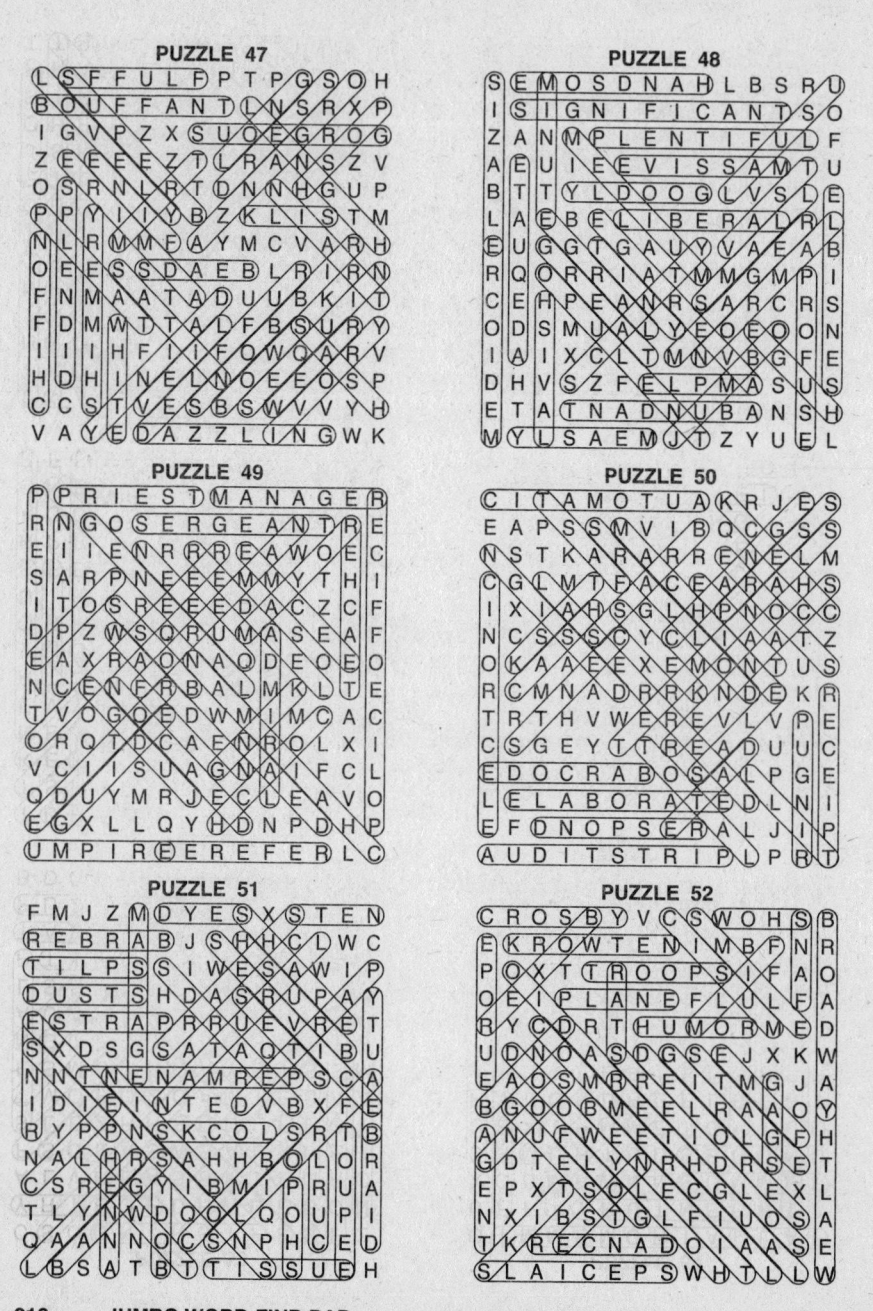

PUZZLE 47

```
L S F F U L P P T P G S O H
B O U F F A N T L N S R X P
I G V P Z X S U O E G R O G
Z E E E E Z T L R A N S Z V
O S R N L R T O N N H G U P
P P Y I X Y B Z K L I S T M
N L R M M F A Y M C V A R H
O E E E S D A E B L R I R N
F N M A A T A D U U B K I T
F I D M W T A L F B S U R Y
I H F I I F O W O A R V
H D H I N E L N O E E O S P
C C S T V E S B S W V V Y H
V A Y E D A Z Z L I N G W K
```

PUZZLE 48

```
S E M O S D N A H L B S R U
I S I G N I F I C A N T S O
Z A N M P L E N T I F U L F
E E U I E E V I S S A M T U
B T T Y L D O O G L V S L E
L A E B E L I B E R A L R L
E U G G T G A U Y V A E A B
R Q O R R I A T M M G M P I
C E H P E A N R S A R C R S
O D S M U A L Y E O E O O N
I A I X C L T M N V B G F E
D H V A S Z F E L P M A S U S
E T A T N A D N U B A N S H
M Y L S A E M J T Z Y U E L
```

PUZZLE 49

```
P P R I E S T M A N A G E R
R N G O S E R G E A N T R E
E I I E N R R R E A W O E C
S A R P N E E E M M Y T H I
I T O S R E E D A C Z C F F
D P Z W S O R U M A S E A P
E A X R A O N A O D E O E O
N C E N F R B A L M K L T E
T V O G O E D W M I M C A C
O R O T D C A E N R O L X I
V C I I S U A G N A I F C L
O D U Y M R J E C L E A V O
E G X L L Q Y H D N P D H P
U M P I R E E R E F E R L C
```

PUZZLE 50

```
C I T A M O T U A K R J E S
E A P S S M V I B Q C G S S
N S T K A R A R R E N E L M
C G L M T F A C E A R A H S
I X I A H S G L H P N O C O
N C S S S C Y C L I X A A T Z
O K A A E E X E M O N T U S
R C M N A D R R K N D E K R
T R T H V W E R E V L V P E
C S G E Y T T R E A D U U C
E D O C R A B O S A L P G E
L E L A B O R A T E D L N I
E F O N O P S E R A L J I P
A U D I T S T R I P L P R T
```

PUZZLE 51

```
F M J Z M D Y E S X S T E N
R E B R A B J S H H C L W C
T I L P S S I W E S A W I P
D U S T S H D A S R U P A Y
E S T R A P R R U E V R E T
S X D S G S A T A Q T I B U
N N T N E N A M R E P S C A
I D I E I N T E D V B X F E
R Y P P N S K C O L S R T
N A L H R S A H H B O L O R
C S R E G Y I B M I P R U A
T L Y N W D O O L Q O U P I
Q A A N N O C S N P H C E D
L B S A T B T T I S S U E H
```

PUZZLE 52

```
C R O S B Y V C S W O H S B
E K R O W T E N I M B F N R
P O X T T R O O P S I F A O
O E I P L A N E F L U L F A
R Y C O R T H U M O R M E D
E U D N O A S O G S E J X K W
B G O O B M E E L R A A O Y
A N U F W E E T I O L G F
G D T E L Y N R H D R S E T
E P X T S O L E C G L E X L
N X I B S T G L F I U O S A
T K R E C N A D O I A A S E
S L A I C E P S W H T L L W
```

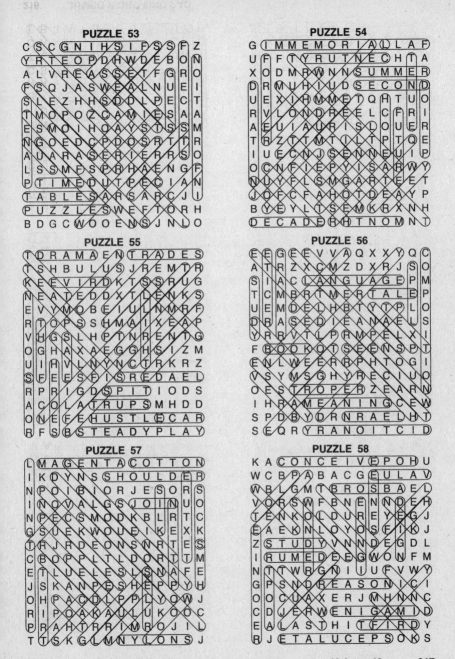

PUZZLE 53
PUZZLE 54
PUZZLE 55
PUZZLE 56
PUZZLE 57
PUZZLE 58

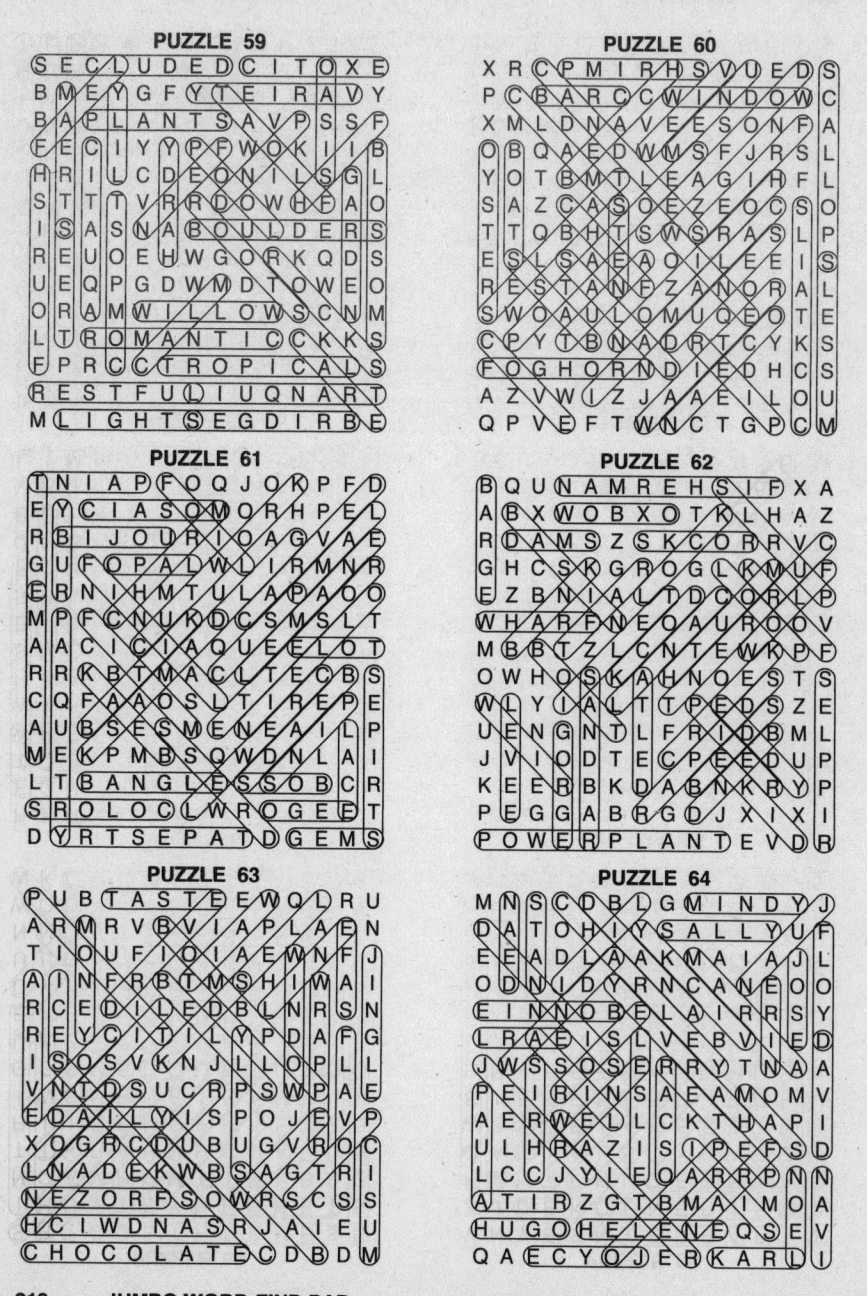

PUZZLE 59

```
S E C L U D E D C I T O X E
B M E Y G F Y T E I R A V Y
B A P L A N T S A V P S S F
F E C I Y Y P F W O K I I B
H R I L C D E O N I L S G L
S I T T V R R D O W H F A O
I R S A S N A B O U L D E R S
R E U O E H W G O R K Q D S
U Q P G D W M D T O W E O M
O R A M W I L L O W S C N M
L T R O M A N T I C C K K S
F P R C C T R O P I C A L S
R E S T F U L I U Q N A R T
M L I G H T S E G D I R B E
```

PUZZLE 60

```
X R C P M I R H S V U E D S
P C B A R C C W I N D O W C
X M L D N A V E E S O N D A
O B Q A E D W M S F J R S L
Y O T B M T L E A G I R F L
S A Z C A S O E Z E O C O O
T Q B H T S W S R A S L I P
E S L S A E A O I L E E S L
R E S T A N F Z A N O R A E
S W O A U L O M U Q E O S S
C P Y T B N A D R T C Y I S
F O G H O R N D I E D H C U
A Z V W I Z J A A E I L O M
Q P V E F T W N C T G P C M
```

PUZZLE 61

```
T N I A P F O Q J O K P F D
E Y C I A S O M O R H P E L
R B I J O U R I O A G V A E
G U F O P A L W L I R M N R
E R N I H M T U L A P A O O
M P F C N U R O C S M S L T
A A C I C I A Q U E E L O T
R R K B T M A C L T E C B S
C Q F A A O S L T I R E P E
A U B S E S M E N E A I L P
M E K P M B S O W D N L A I
L T B A N G L E S S O B C R
S R O L O C L W R O G E F T
D Y R T S E P A T D G E M S
```

PUZZLE 62

```
B Q U N A M R E H S I F X A
A B X W O B X O T K L H A Z
R O A M S Z S K C O R R V C
G H C S K G R O G L K M U F
E Z B N I A L T D C O R L P
W H A R F N E O A U R O O V
M B B T Z L C N T E W K P F
O W H O S K A H N O E S T S
W L Y I A L T T P E D S Z E
U E N G N T L F R I D B M L
J V I O D T E C P E E D U P
K E E R B K D A B N K R Y P
P E G G A B R G O J X I X I
P O W E R P L A N T E V D R
```

PUZZLE 63

```
P U B T A S T E E W Q L R U
A R M R V B V I A P L A E N
T I O U F I O I A E W N F J I
A I N F R B T M S H I W A I N
R I C E D I L E D B L N R S N
R E Y C I T D I L Y P D A F G
I S O S V K N J L L O P L L
V N T D S U C R P S W P A E
E D A X L Y I S P O J E V P
X O G R C D U B U G V R O C
L N A D E K W B S A G T R I
N E Z O R F S O W R S C S S
H C I W D N A S R J A I E U
C H O C O L A T E C D B D M
```

PUZZLE 64

```
M N S C D B L G M I N D Y J
O A T O H I Y S A L L Y U F
E E A D L A A K M A I A J L
O D N I D Y R N C A N E O O Y
E I N N O B E L A I R R S Y
L R A E I S L V E B V I E D
J W S S O S E R R Y T N A A
P E I R I N S A E A M O M V
A E R W E L L C K T H A P I
U L H B A Z I S I P E F S D
L C C J Y L E O A R R P N A
A T I R Z G T B M A I M O E N
H U G O H E L E N E Q S E V I
Q A E C Y O J E R K A R L U
```

PUZZLE 65

```
S R T O G E T H E R N E S S
I H O V T E Y R E D N E T S
N C A M R M M T I R L B S E
T T K R A H N B C U A D D N
R I I S E N S E R A E C E D
I W S U H N E I S A R P V N
G E S M S C O U R T C T O O
U B B T P U T Q K E L E T H
E A R T N X E V R E F H E I A
C Y E I P E R I S E D C O B
U L O B H P D N D V Z P N J
N N O U Y E A R N I N G F Y
W O G S S J E G A I R R A M
W K C H E M I S T R Y B W R
```

PUZZLE 66

```
V N V E S N T E R R A P I N
Z J D E K C E N E D I S M K
P M H T P H U D E T N I A P
O A D I A L S T Y U W E D L
W R S E B I A L E S B Z R E
E I E G R E L S O S B O R A
R N A L G E R A T W M O H T
F E T H H E G N K R H S X H
U L U S S S C N A S O I V E
I T P Q P C R E L A T U N A R
J A T A O E A E U D E M V B
A P L P R N S M Z T N A Z A
W E E G D W D I I O C E Y C
S R E T O R T O I S E H L K
```

PUZZLE 67

```
R Z R E L I S S E S A W Z G
E G N A R O I P N M L P F N
T O S C U L U M W S L W L I
A R E F I R O P O R E S U T
W L F C P Y S K R G G R O S
H J A L A E E N B E A I R U
S E M E R K F S L O S L V E R
E R L J T U S J L O Y R C N
F I R U L O D A L U W S E E
Q N B F K E S D L A M I N A
B E U Y R L N T I G R M T J
M R J S P O N G I N F V E F
L I M E S T O N E A G P A G
```

PUZZLE 68

```
B A T C H E S T I U S L O S
S P A D E S W W T X E S I R
S D I B E Q L I F A U T M E
E C G X B B U I D N S U O D
L W I N E R V S I O M C V N
B S O X X I E Y M U I W A E
A D T H S W C T N D E Z R F
T R T E S O A I X F E M C F
A A F U T B M R H I A A O
K C O O R F D S D E S I L G
Y S U L P N E O T K A L L S
A I R A U C S L Y E N R A O
A D S O A A L T E R N A T E
C S R E L F F U H S U S R S
```

PUZZLE 69

```
P O S I T I O N U M B E R S
P S O P A N E G O T I A T E
T L H S A C G M S Y R C S P
T E A M R W E Q A A N O A I
C A R Y S O S P E N L E P C
O W G M E R N Y S S A A W K
A B V D S B O I T I R G R S
C A Z H N Y G J M N G A E Y
H S R E P A P C A G E N T R
E E E W M B L T I M E L E S
D B C E E O Y C O S T S A D
A A I C O N T R A C T E Z T
R L R L W U O P T I O N E L
T L P S E S S I O N L J I M
```

PUZZLE 70

```
H F S T R A I N E R W S E K
W O T K P H S A E L S E R E
C C U E I L Y N T A R A N I
O H M N P A N A L G B T S E
S A A N D I E C I R L G E
P M S E W R P D P Y A D O C
A P T L T T E O O A U T D N
L I D C P N T I J R E T E
S O F O E O I R J N P A H I
A N F O C I L K E O T U D D
H P A P E R S L S T N E E E
L A U P R I Z E X I T T E R B
K O M O N D O R E E R E Z O
R E G I S T E R Z B W F S F
```

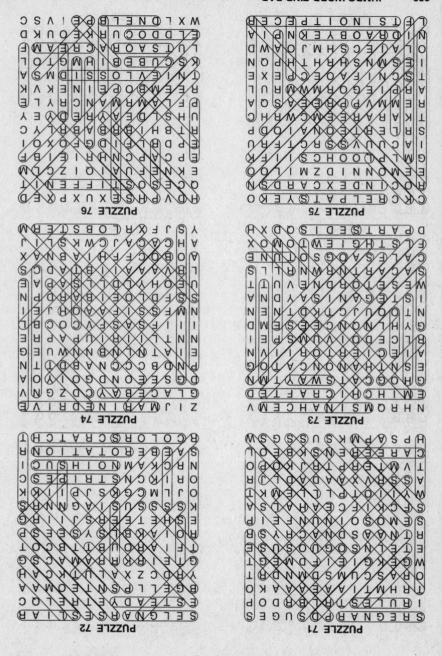

PUZZLE 75

PUZZLE 76

PUZZLE 73

PUZZLE 74

PUZZLE 71

PUZZLE 72

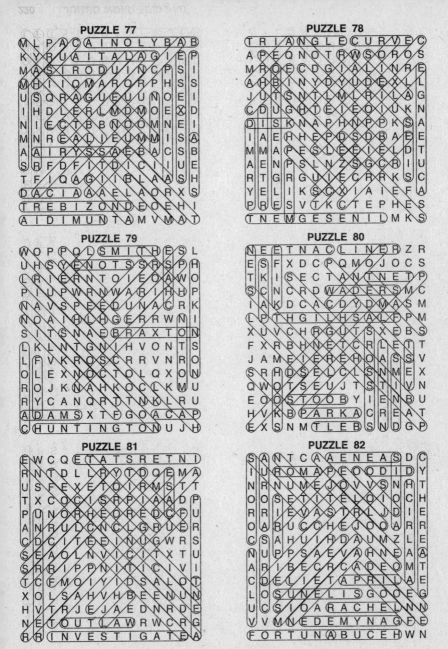

PUZZLE 77

PUZZLE 78

PUZZLE 79

PUZZLE 80

PUZZLE 81

PUZZLE 82

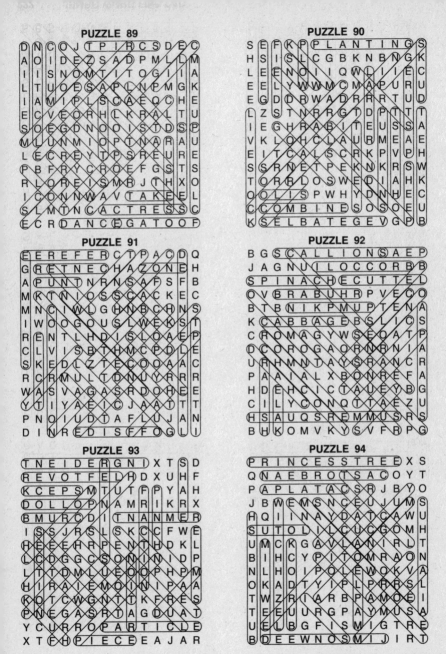

PUZZLE 89

PUZZLE 90

PUZZLE 91

PUZZLE 92

PUZZLE 93

PUZZLE 94

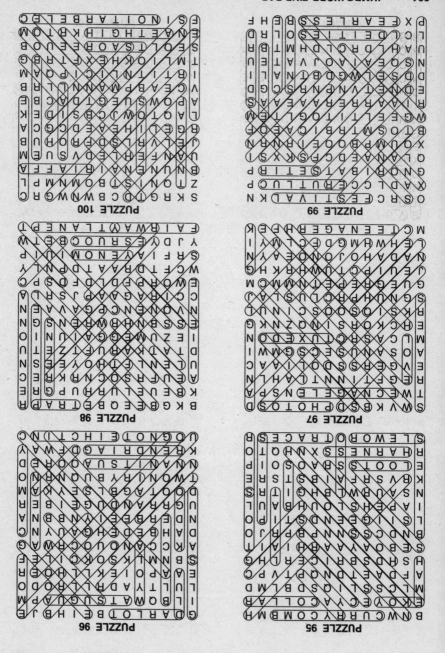

PUZZLE 100

PUZZLE 99

PUZZLE 98

PUZZLE 97

PUZZLE 96

PUZZLE 95

PUZZLE 101

PUZZLE 102

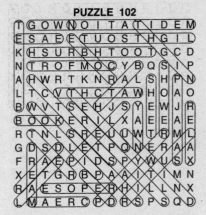